Wizer!

Geert van Diepen

De Fontein

Voor Petra

ISBN 90 261 3130 5
NUR 282/283

'Liever luis,
dan de beet van een teek'.

1 Stank

'Wat is er?' mompelde Berrie. Slaperig tuurde hij naar de kleine donkere gestalte aan de rand van zijn bed.

'Ik ben nat,' fluisterde Jonnie. 'Mijn bed ook.'

Berrie zuchtte. 'Is mama er niet?'

'Nee,' zei ze zacht.

'En papa?'

'Papa ligt op de bank. Hij snurkt zo hard. Ik durf niet…'

'Laat maar,' zei Berrie. Hij knipte het bedlampje aan en keek een ogenblik naar zijn kleine zusje, dat hem afwachtend aanstaarde. Ze had witte piekharen en een geinig toetje; haar grote groene ogen hadden iets triests en uitdagends tegelijk.

Berrie schrok.

Op haar lippen glommen restjes felrode lipstick. En rond haar ogen zat oogschaduw. Verdorie!

'Ben je bij de buren geweest?'

Jonnie schudde haar hoofd.

'Jonnie?'

'Nee hoor,' zei ze, 'echt niet.'

Berrie wist wel beter. 'Was je alleen?'

Glazig ontweek Jonnie zijn blik. 'Niet doen, Jonnie,' zei hij zacht. Hij bewoog naar voren en keek zijn zusje indringend aan. 'Niet naar de buren gaan. Niet in je eentje, beloof je dat?'

Jonnie begon te glimlachen. 'Jij ruikt naar sigaret!' zei ze triomfante-lijk.

Berrie werd stil. Toen bromde hij: 'Maar ik plas niet in bed. Jij wel! Kom…' Hij stapte uit bed en duwde zijn zusje voorzichtig de slaapka-mer uit.

7

Op de overloop hing een rare scherpe lucht.

'Het stinkt hier,' fluisterde Jonnie. 'Ruik je het ook, Berrie?'

'Ja,' mompelde Berrie. Hij was moe en had geen zin om zich er druk over te maken. Het stonk altijd in huis en dit kon er nog wel bij.

Hij trok in de slaapkamer van Jonnie een kast open en zocht in de wirwar van hemdjes en truitjes naar een droge onderbroek. 'Waar liggen de schone…?'

'Weet ik niet,' zei Jonnie. Ze rilde en wees in de kast. 'Daar… Of hier.'

Berrie vloekte, onhoorbaar voor zijn zusje. Zijn eigen klerenkast was op orde. Daar zorgde hij wel voor. Maar in de kast van Jonnie zat geen enkele logica. Kleren netjes in stapeltjes opruimen, zelfs dat deed zijn moeder niet meer.

Nijdig plukte Berrie een wit broekje uit de chaos en hield dat zijn zusje voor. 'Doe deze maar aan.'

'Neehee…' protesteerde Jonnie. 'Dat is mijn gymbroek.'

'Zeik niet,' siste Berrie. 'Ik zie niks anders.'

Jonnie zweeg. Ze deed het natte slipje uit en trok de gymbroek uit de handen van haar broer. 'Mijn bed is ook nat,' zei ze, terwijl ze klappertandend een been in de pijp van de broek stak.

Opnieuw speurden Berries ogen langs de puinhoop in de kast. Toen hij nergens een wit laken ontdekte, haalde hij een handdoek uit de gangkast en legde die over de natte plek op het matras. 'Ga maar liggen,' zei hij.

Jonnie gaapte. Ze pakte haar beer van de grond, stapte voorzichtig in bed en ging op de handdoek liggen.

Langzaam schoof Berrie het dekbed tot aan haar kin. 'Niet te veel draaien en bewegen, anders verschuift de handdoek en wordt je gymbroek nat.'

Jonnie knikte.

Berrie liep naar de deur. Hij tikte met zijn voet de klerenkast dicht, deed het licht uit en stapte de overloop op.

'Dag Berrie,' klonk het fluisterend en lief.

'Dahaag,' zei hij zacht. Hij sloot de deur en liep naar de badkamer om te plassen. De vreemde geur op de overloop was er nog steeds.

Een rilling schoot door zijn lijf toen hij op de koude tegelvloer van de badkamer stapte. Hij trok aan het touwtje van de lichtschakelaar en ging voor de wc-pot staan. Getver... er kleefden spikkels aan de binnenkant van de pot.

Berrie begon te plassen en richtte zijn straal op de viezigheid. Hier en daar liet een kloddertje los en zakte de pot in. Hij zette nog meer kracht, maar het was niet voldoende. Het bleef kleven.

Dan niet! Ik heb mijn best gedaan.

Hij spoelde het toilet door en dook even later zijn bed in.

Getver...

De stank op de overloop was nu ook in zijn kamer doorgedrongen. Wat een meur! Hij kwam overeind, maakte het raam los en zette het op een kier open.

Op dat moment klonk er ergens in huis een doffe knal.

Berrie hield zich stil en luisterde.

Zoiets had hij in huis nog niet eerder gehoord.

Hij sprong uit bed en rende de overloop op. Mist? Zag hij mist? Of lag het aan zijn ogen? En die geur! Die was nu zo sterk, hij sloeg op zijn keel en schroeide de binnenkant van zijn neus.

De mist was geen mist: het was róók!

Stond er iets in brand? Ergens beneden in huis?!

Berrie begon te hoesten.

'Berrie?'

Het was Jonnie.

'Is er weer vuurwerk?' vroeg ze.

Haastig liep Berrie naar zijn zusje. Ze stond in de deuropening van haar slaapkamer en tuurde zonder angst de overloop op.

'Nee! Geen vuurwerk. Blijf hier, Jonnie! Ik ga beneden kijken.'

Langzaam, met een hand aan de leuning en de andere als bescherming voor zijn neus en mond, ging Berrie de trap af. De dikte van de rook halverwege de trap was zo hevig dat hij de onderste treden en de kamerdeur nauwelijks kon zien.

Er stond iets in brand!

Het kon niet anders.

Maar waar was papa? Lag die nog steeds op de bank te slapen?

'PAPA...?'

Na de laatste tree pakte Berrie de deurkruk, hij drukte hem naar beneden en duwde de kamerdeur voorzichtig open.

9

Meteen sloeg een reusachtige hete wolk rook in zijn gezicht.

Berrie dook voorover. Hij wilde de kamer in gaan, maar een meters-dikke muur van rook ontnam hem het zicht en de adem. Hij probeerde een stap. En nog een…

PAPA? wilde hij roepen, maar een walm van rook verstikte zijn stem. Ademnood dwong hem achteruit. Hij moest terug.

Met zijn ogen dicht en zwaaiend met zijn handen vond hij eindelijk de deurkruk weer. Hij greep het ding beet en trok zo snel hij kon de kamerdeur achter zich dicht.

Hoestend en met brandende ogen stommelde Berrie terug naar boven.

Hij kon geen kant op. De enige manier om naar buiten te komen, was door de kamer. En die was nu vol met rook.

'Is er brand?' vroeg Jonnie.

'Ja…' hijgde hij trillend. 'Kom!'

Hij greep Jonnie bij een arm en trok haar mee zijn kamer in. Hij smeet de deur dicht, rende naar het raam en zette dat wagenwijd open.

Wanhopig tuurde hij de straat in.

'Brand!' gilde hij half huilend. 'BRAND!'

Plotseling was er beweging op de stoep aan de overkant van de straat. Van her en der kwamen mensen aanhollen.

'Mijn god,' riep iemand. 'Die kinderen!' Hij wees in de richting van Berrie en schreeuwde: 'Hou vol! De brandweer komt er aan.'

'Mijn zusje is er ook nog!' gilde Berrie. 'En mijn vader! Die ligt bene-den in de kamer!'

In de verte klonk het geluid van een sirene.

'Aan de kant,' brulde een man op de stoep gehaast. Hij sjouwde een lange aluminium ladder de straat over en rende ermee de voortuin in. Het was Henk van Snackpaleis Henkie, de geheime vriend van Berries moeder. Hij zette de ladder tegen de buitenmuur onder Berries raam en klom omhoog.

'Weg…!' bromde plotseling achter Berrie een nauwelijks verstaanbare stem.

'Papa!' zei Jonnie verbaasd. 'Was je niet beneden?'

'Neuh… op bed.'

Met een ruk draaide Berrie zich om.

Daar stond zijn vader! Met rode ogen en een opengezakte mond. Hartstikke dronken te zwaaien op zijn benen. 'De magnetron fikt... weg hier... als de sodemieter!'

2 Directeur Peter Jan Punt

Zijn haar zat perfect.

Directeur Peter Jan Punt stond in het personeelstoilet van zijn school en bekeek zichzelf eens fijntjes in de spiegel.

Hij glimlachte.

'Jahaa, Peter Jan,' fluisterde hij zelfvoldaan, 'je kapsel mag er zijn, jongen. Niet te kort, niet te lang en glanzend als verse lak.'

Nou ja, dat mocht ook wel. Wassen, föhnen en verzorgen, Punt deed het elke morgen tot in de puntjes. Hij moest er een kwartier eerder zijn bed voor uit, maar het effect was heerlijk: vrijwel dagelijks regende het complimentjes.

'Wij zijn jaloers op uw haar, meester Punt!' giechelden jonge moeders nogal eens op het schoolplein.

'*Fatal Attraction*, dames,' was zijn vaste reactie. 'Laat mijn vrouw het maar niet horen.'

Daar moesten die moedertjes altijd erg om lachen, want iedereen wist dat meester Punt helemaal in zijn eentje een groot huis bewoonde.

Punt keek op zijn horloge: drie uur. Over een halfuur ging zijn school uit.

Punt wilde een spoedvergadering beleggen. Er was zojuist een nóódgeval doorgebeld: of zijn school plaats had voor twee kinderen uit een probleemgezin. En op zeer korte termijn.

Met een natte vinger drukte hij een onwillig wenkbrauwhaartje op zijn plaats, hij spoot zijn mond fris met pepermuntspray en verliet het toilet.

'Ha,' riep Punt enthousiast, toen hij een jongen door de grote hal zag lopen. 'Daar loopt mijn postbode!'

Bram Stuit uit groep zes keek verschrikt op. Meester Punt liep met grote stappen op hem af, duwde hem een papier in handen en fluisterde: 'Bram, grote koerier! Ga snel de klassen langs en laat deze brief aan elke juf of meester lezen. Bedankt!'

Aarzelend nam Bram Stuit het papier aan. Nog voor hij wat kon vragen of zeggen, verdween Peter Jan Punt in de directiekamer.

Menige leerling zou het een eer gevonden hebben om voor meester Punt een klusje te doen. Bram Stuit niet. Bram Stuit was thuis gewend voor het kleinste boodschapje beloond te worden.

Nijdig bekeek hij de brief. Hij loerde grimmig naar de kierende deur, waarachter Punt verdwenen was. Er twinkelde iets vals in zijn ogen.

'Meester?' riep Bram quasi-opgewekt.

'Já!' klonk het gehaast.

De jongen antwoordde niet en wachtte.

Om een hoekje van de deur verscheen het hoofd van meester Punt. 'Ja?'

Met zijn grote reebruine ogen keek Bram meester Punt poeslief aan. 'Wat ruikt u lekker naar pepermunt...'

Meester Punt reageerde niet.

Een paar tellen staarde hij Bram doordringend aan. Nam het ventje hem in de maling?

'Het is een compliment, hoor,' verduidelijkte Bram.

'Dank je,' zei Punt afwachtend.

Bram werd onrustig. 'Maar eh... Als je u een compliment geeft, krijg je toch een dropje? Dat zegt Cilly, mijn zus in groep acht!'

Meester Punt knikte. 'Dat klopt.'

'Dus...?' grinnikte Bram.

'Niks dus,' zei Punt. 'In welke groep zit jij?'

'In groep zes, meester.'

'Precies. Dus niet in groep acht. Over twee jaar krijg jij je dropje. En nu vort, de klassen langs!'

Om kwart voor vier zaten de meeste leraren van basisschool De Ploeg keurig op tijd in de koffiekamer. Alleen juf Gré uit groep zeven was te laat.

Punt pakte een lepeltje en tikte op de rand van een koffiekopje. Het geroezemoes verstomde en twaalf paar ogen keken hem nieuwsgierig aan.

'Welkom,' zei Punt op zakelijke toon. 'Sorry, dat ik jullie overval met deze spoedvergadering. Ik zal het kort houden, we hebben het al druk genoeg. Het gaat om het volgende...'

Klang!

Het geluid van een ruw openzwaaiende deur onderbrak zijn betoog. Meester Punt keek verstoord op. Het was collega Gré. Met een verhit hoofd en boze ogen denderde ze de koffiekamer binnen.

'Dag Gré,' zei Punt, terwijl hij op zijn horloge keek, 'je bent te laat.'

'Ja, sorry hoor!' brieste juf Gré. 'Een van mijn leerlingen is haar fietssleutel kwijt. Ik krijg er wat van. Het is al de derde keer na de zomervakantie!'

Geen van de leraren reageerde.

'Ja, heel vervelend, Gré,' zei directeur Punt ijzig, 'maar er zijn ergere dingen. Neem een kop koffie en kom erbij.'

Met een plof liet juf Gré zich weinig charmant op een stoel vallen. De stoelpoten kraakten onder haar gewicht.

'Ik ben gebeld door de Raad van Kinderbescherming uit Haarlem,' ging Punt verder. 'Ze vragen of we plaats hebben voor twee kinderen uit een probleemgezin. Het gaat om een jongen van elf en een meisje van zes.'

'Buitenlanders?' vroeg juf Gré met een vies gezicht.

'Hoezo?' zei Punt scherp.

'Ik discrimineer heus niet, Peter,' kakelde juf Gré. 'Maar als dat jongetje elf is, krijg ik hem in de klas. En als hij alleen Marokkaans of Turks praat, heb ik er een probleem bij. En daar zit ik echt niet op te wachten met een klas van 32 kinderen.'

Meester Punt zei niets, maar de ergernis spatte uit zijn ogen. Hij liet expres een lange stilte vallen en wendde zich tot de overige leden van het team.

'Collega's,' zei hij zacht. 'Het betreft een Nederlands gezin. Ze zijn uit hun huis gezet. Vanwege brand in hun woning, een voortslepende burenruzie en nog wat andere vervelende zaken. Sinds gisteren wonen ze in deze wijk en de kinderen willen dolgraag op onze school een nieuwe start maken. Wat vinden jullie? Geven we ze die kans?'

3 'Roken?'

'Wat een mooi huis, hè jongens?'

…

'Ik vind het echt een mooi huis. Niet dan, Berrie?'

…

'Ja, toch?'

…

'Jonnie?'

…

'Wat vind jij? Het is toch heel mooi hier? Er wonen vast leuke kinderen. Ga maar buiten kijken. Jonnie? Berrie?'

…

'Ik roep jullie wel als papa terug is. Dan gaan we naar de nieuwe school. Het is daar heel gezellig. Dat zeiden ze van de Kinderbescherming.'

…

Berrie bewoog niet. Het was vier uur in de middag en zijn tweede dag in het nieuwe huis. Hij zat in de kamer op een rare groene vierzitsbank. Het malle ding kwam uit een kringloopwinkel. Net als de tafel, de stoelen en de lampen. Ook het houten bed, dat boven in zijn nieuwe kamer stond, was tweedehands.

Het enige van hemzelf in dit huis waren zijn gameboy en een tas met kleren. Al het andere was verbrand of smerig en in het oude huis achtergelaten.

De televisie.

De video.

De computer.

Al zijn computerspelletjes.

Zijn cd's.

Zijn stereotoren.

Alles was hij kwijt.

'Vanaf nu wordt het allemaal beter,' had zijn vader beloofd. Hij ging in een slachterij werken en veel geld verdienen. En hij zou nooit meer drinken.

Berrie staarde naar de dunne bruine vingers van zijn moeder. Ze zat tegenover hem in een kolossale leren stoel. Ze legde plukjes tabak op een sigarettenvloeitje en rolde die met één hand tot een sigaret.

'Mam?' vroeg Jonnie.

'Ja, lievie…?'

'Wanneer krijgen we televisie?'

'Als mama centjes heeft, mop.'

'Mam?'

'Ja, lievie.'

'Wanneer heb je weer centjes?'

Moeder zei niets. Ze pakte een witte aansteker en hield het vlammetje bij de sigaret. Berrie zag haar lippen samentrekken. Haar wangen versmalden en een seconde later schoten uit haar neus twee wolkjes rook.

Ze hoestte. En nog eens.

'Als mama een baantje heeft, schetie,' zei ze kuchend. 'Een kapsalonnetje of zo. Ik ben kapster geweest. Dat wist je niet, hè, schetie?'

Ze hield het puntje van haar sigaret boven een grote oranje asbak en tipte een kegeltje as in het spuuglelijke ding.

'Moet ik er een voor je draaien, mam?' vroeg Berrie. Hij griste haar pakje shag van het kringlooptafeltje en trok een vloeitje te voorschijn.

'Kan je dat dan?' vroeg ze met haar doorrookte stem.

Berrie glunderde. 'Eitje!'

Hij plukte wat tabak uit het pakje, verspreidde die over het vloeitje en rolde het tot een sigaret. Hij likte aan de rand en wreef het papier vast. Grijnzend stak hij de peuk in zijn mond.

'Wat snel!' riep zijn moeder verwonderd. 'Van wie heb je dat geleerd?'

'Van wie denk je…?' Berrie grijnsde.

Ze haalde haar schouders op. ''k Wee niet…'

'Van jou natuurlijk!' riep Berrie. Stoer bewoog hij de sigaret tussen zijn lippen.

'Maar niet gaan roken, hoor!' fluisterde zijn moeder hees. 'Papa wil het niet hebben.'

'Nee hoor,' zei Berrie. 'Ik niet.'

'Ooh…!' riep Jonnie. 'Wel waar, Berrie.'

Berrie draaide zich om. 'Hou je kop, tut,' siste hij.

En toen luider: 'Jonnie bedoelt die keer met vuurwerk aansteken, mam.'

Zijn moeder knikte. 'Weet ik toch,' mompelde ze. Ze inhaleerde diep en blies met kracht de rook in de richting van het helderwitte plafond.

Berrie nam de peuk uit zijn mond. 'Ik doe 'm in je pakje, mam.'

'Is goed, jochie.'

Berrie stond op. Hij vouwde het pakje shag dicht, legde het op het tafeltje en slofte met een gesloten linkerhand onverschillig naar de keuken. 'Ik ga effe naar buiten.'

'Mag ik mee?' riep Jonnie meteen.

'Nee,' zei Berrie snel. 'Ik ben zo weer terug.'

Geruisloos pakte hij een doosje lucifers van het aanrecht en stapte ermee de lege achtertuin in. In de steeg achter het schuurtje bleef hij spiedend staan.

Hij was alleen!

Snel boog hij zich voorover, deed zijn linkerhand open en pakte er voorzichtig de vers gerolde sigaret uit. Hij klemde de peuk tussen zijn lippen, streek een lucifer af en gaf zichzelf een vuurtje.

Ha…

Eindelijk!

Zijn eerste sigaret sinds drie… vier dagen.

Gulzig zoog hij aan de peuk en hij voelde de scherp smakende rook diep zijn keel in gaan. Shit! Wat een goor smakie had die shag. Filtersigaretten paften toch beter.

Plotseling stootte er iets tegen zijn wang. En toen tegen zijn neus.

Berrie schrok.

Vingers trokken de peuk uit zijn mond. Hé…!

'ROKEN?' brieste een stem.

Berrie wilde omkijken, maar de onbekende greep zijn oor en sleurde hem hardhandig naar de schutting. De aanvaller duwde de poort open en trok hem aan zijn oor zonder aarzeling de tuin in.

Met een klap viel de deur achter Berrie in het slot.

'Ben jij helemaal besodemieterd!' bulderde de stem.

Berrie kromp in elkaar. Niet alleen vanwege de pijn in zijn oor; hij had gezien wie zijn belager was.

'Koeienkop! Je bent potdomme pas elf, druiloor! Rund dat je bent. Wil je net zo worden als Tonnie? Hè?'

'AU!' gilde Berrie. 'Niet doen!'

'Wil je dat, stierenkeutel?' tierde de stem. 'Op je zeventiende achter de tralies? Zeg wat! Nou?'

'Stop!' huilde Berrie. 'Laat me los!'

De pijn in zijn oor was ongelooflijk.

'Ik doe het niet meer.'

'Wat zeg je?' gromde de stem.

'Ik doe het niet meer,' hijgde Berrie kreunend.

'Wat doe je niet meer?'

'Róken...'

'Dat is je geraden, varkenskop.'

Eindelijk liet de hand zijn oor los.

Berrie slikte. Snikkend betastte hij zijn zere oor en langzaam keek hij op naar zijn reusachtige vader.

'Naar binnen,' commandeerde de man. 'Poets je tanden. We moeten naar die school.'

Mijn hemel, dacht de achterbuurvrouw geschokt.

De vrouw stond met haar fiets achter de houten schutting, tegenover de tuin van Berrie, en luisterde. Na de eerste brul van Berries vader in de steeg was ze geschrokken in haar tuin blijven staan; ze zag niets, maar elk woedend woord van de man, hoe zacht ook uitgesproken, had ze letterlijk verstaan.

Ze heette Reini Stuit, moeder van drie kinderen.

4 Kennismaken

Het was zestien uur negenentwintig. Nog één minuut, dan was het half-vijf.

Ongeduldig loerde directeur Punt over het speelplein van de school.

Hij stond in de directiekamer en wachtte in zijn eentje op HET GEZIN, waarmee hij straks een kennismakinggesprek zou houden.

Ze waren laat! Nu al.

Punt had een hekel aan wachten.

Hij vond niets doen zonde van zijn tijd en bestudeerde zijn nagels. Vlug viste hij het Zwitserse zakmesje uit zijn broekzak en verwijderde met de punt van de minipriem wat vuil onder de nagelranden, een voor een.

Hij wilde dit gezin straks in alles een voortreffelijk voorbeeld geven, en schone nagels hoorden daar zeker bij.

Peter Jan Punt voelde zich goed en sterk.

Zijn haar zat perfect.

Zijn mond rook fris en de versnaperingen stonden klaar: voor de beide ouders was er koffie (of thee) en voor de twee kinderen limonade en koek.

Na de kennismaking zou hij het gezin de school laten zien en ze introduceren bij juf Jeltje en juf Gré. Hij had de juffen speciaal gevraagd langer op school te blijven. 'Kijk en luister goed,' had hij tegen de juffen gezegd. 'Ik ben benieuwd naar jullie indruk. Want als we, áls we deze kinderen aannemen, moeten jullie met ze werken.'

Heel erg benieuwd naar hun mening was Punt eerlijk gezegd niet: diep in zijn hart had hij allang een beslissing genomen. Dit gezin móést slagen op zijn school.

Plotseling klonk er een luide klop op de deur van zijn kamer.

Nog voor hij 'Ja?' kon zeggen, vloog de deur halfopen en er verscheen een wit mager vrouwengezicht in de opening.

Geschrokken keek Punt op.

'Dahaag,' groette de vrouw met zwoele stem.

Ze knipoogde.

Punt knikte aarzelend.

Wie was dit? Deze vrouw met knalrood geverfde lippen, blauwgroen opgemaakte ogen en geblondeerde haren?

'We hebben een afspraak,' zei ze hees. 'We zoeken de di-ruc-teur.'

HET GEZIN! Ze waren gearriveerd!

Langzaam legde Punt het zakmesje in de pennenbak voor hem op het bureau.

'Dat ben ik,' zei hij, ineens zelfverzekerd. Hij had zich van de schrik hersteld en rechtte zijn rug.

'Wilt u nog een ogenblik wachten? En de deur sluiten? Ik kom u zo halen.'

De vrouw knikte vertwijfeld en trok toen de deur zachtjes dicht.

Zo, dacht Punt tevreden, het initiatief is weer aan mij. Even laten voelen wie hier de baas is. Hij telde tot tien, schoof wat met de klaarstaande koffiekoppen, de limonadeglazen en de schaal met koeken op het salontafeltje in zijn kamer, en liep naar de deur. Resoluut opende hij de deur van de directiekamer.

'Peter Jan Punt,' zei hij overdreven luid, en hij stak zijn hand uitnodigend in de richting van een kleine, smalle vrouw, die in haar eentje in de grote zaal van de school stond te wachten.

'Jessica,' zei ze zacht, en wiegde met haar heupen. Ze liep op hem af en gaf hem een week handje.

'Bent u alleen?' vroeg Punt.

'Nee hoor,' zei Jessica. 'Klaas en de kids zijn er ook. Ze moesten even naar het tworjet.'

Tworjet?

'Toilet,' verbeterde Punt.

'Ja,' mompelde de vrouw, 'twor-let.'

Alle drie naar het toilet? dacht Punt bezorgd. Vreemd.

'Welkom,' zei hij ineens enthousiast, 'komt u verder en neem plaats.' Hij wees de vrouw een stoel in zijn kamer.

Ze droeg een vaal blauw spijkerjasje met bontkraag, een rode strakke legging en hooggehakte cowboylaarsjes met luipaardmotief. Punt rilde toen ze hem passeerde: jakkes, wat een lucht! De vrouw stonk naar een volle asbak. De muffe ziekmakende geur deed hem gruwen, maar hij liet het niet merken. Nog niet, tenminste.

'Koffie of thee?' vroeg hij.

De vrouw ging zitten en sloeg bevallig het ene been over het andere.

'Doe mij maar een sherry'tje!' zei ze vrolijk.

Punt keek haar strak aan en wachtte.

'Geintje, hoor,' zei de vrouw snel. 'Doe maar een koffietje, Peter Jan.'

Ze stak een hand in haar jas en haalde een baaltje shag te voorschijn.

Shag? schrok Punt. Vergif in de school?

Zijn ogen schoten vuur.

'Roken is in dit gebouw verboden, mevrouw,' zei hij onmiddellijk. 'Trouwens in elk openbaar gebouw, wist u dat niet?'

'Al sla je me dood,' verzuchtte ze. Ze opende het pakje, trok een vloeitje omhoog en legde er doodleuk plukjes shag op.

'MEVROUW...' zei Punt gedecideerd.

'Nee nee,' suste ze, 'ik steek hem niet op, hoor. Een saffie voor straks...'

'Mevrouw...?' zei Punt streng. 'Ook dat kan ik hier niet toestaan...'

De vrouw keek hem ongelovig aan. 'Mag ik geen saffie voordraaien?'

'Nee,' antwoordde Punt, 'liever niet.'

Verbaasd trok ze haar wenkbrauwen omhoog. Ze bleef hem aankijken en zei toen zacht, met een speels lachje: 'Prachtig haar heb je. Wist je dat al...?'

Een compliment! dacht Punt. Ze maakte hem een compliment. Al gaf hij geen fluit om de mening van deze dellerige moeder, op haar compliment moest hij positief reageren. Zoiets helpt en komt de kinderen ten goede.

'Dank u,' zei hij. 'Heel aardig, dat u dat zegt. Trouwens, ik zie aan uw uiterlijk dat u zichzelf ook goed verzorgt.'

Moeder Jessica glunderde. 'Kapster geweest, hè.'

'Alleen deze...' zei ze zuchtend, en ze toonde haar donkerbruin verkleurde vingers. 'Bruin als negertjes.'

Punt keek en walgde: dit waren bepaald geen handen en nagels van een frisse zorgzame moeder. Dit waren de onaantrekkelijke, volledig door teer verkleurde vingers van een onverbeterlijke kettingrookster. Arme kinderen! Hoelang verziekte deze aan nicotine verslaafde moeder hun longetjes al?

Punt boog naar de vrouw en deed toen iets wat hij als man buiten de school nooit bij een vreemde vrouw zou durven: *hij pakte haar handen.*

Verwonderd staarde ze hem aan.

Punt gaf geen krimp. Secondelang bekeek hij haar vingers, onderzoekend als met de ogen van een dokter, en hij concludeerde ernstig: 'Wat een mooie slanke handen zijn dit.'

De vrouw slikte. 'Maak dat de kat wijs.'

'Nee, ik meen het,' loog Punt.

'Doe niet zo geee-uk.'

'U heeft prachtige slanke handen, mevrouw.'

'Vin je dat echt?

'Ja, ze zijn bijzonder fraai van vorm.'

'Echt waar?

'Ja.'

'Maar, maar…' stotterde de vrouw. 'Die bruine vingers? Die zijn toch niet fraai?'

Yes, dacht Punt. Hij hield zijn gezicht in de plooi, maar binnenin kriebelde een jubelgevoel. Hij zei: 'Heus, mevrouw, afgezien van die bruine rookaanslag zijn uw vingers verder bijzonder elegant.'

'Meen je dat nou?'

'Jazeker!' overdreef Punt. 'Met de juiste verzorging, een goede handcrème en een zachtroze nagellak heeft u de handen van een dame.'

Ze zei niets.

Met weeë ogen keek ze Punt aan en toen fluisterde ze: 'De handen van een dame! Wat lief. Zoiets heb nog nooit iemand tegen me gezegd.'

Ze boog zich langzaam naar voren en voordat Punt in de gaten had wat ze van plan was, drukte ze heel even haar lippen op zijn wang.

Punt deinsde geschrokken achteruit.

'Tongen?' klonk het naast hem.

In de deuropening van de directiekamer doemde een persoon op.

Peter Jan Punt slikte.

Het was een grote, brede vent met een papperig hoofd, stekeltjeshaar en twee ongekend felblauwe ogen.

23

'Wat heeft dit te betekenen, Jessica?'

'Niets,' zei de vrouw fel. 'Niets om je druk over te maken.'

'O,' bromde de man. 'Noem tongen maar niets.'

Punt schrok. Tongen?

'Doe niet zo achterlijk!' zei de vrouw schamper. 'We waren niet aan het tongen! Peter Jan zei dat ik de handen van een dame hebt. En...'

'Toe maar...' zei de man met een grijns.

'Hoor hem,' smaalde de vrouw. En toen, snauwend: 'Zoiets aardigs heb jij nog nooit gezegd. Dus doe maar gewoon. En geef een hand.'

De man was een kop groter dan Punt en moest bukken toen hij de directiekamer binnenstapte.

'Klaas,' bromde de reuzenman. Hij had een zwarte leren jas aan en schudde met kracht de hand van Punt.

Au!

Allemachtig, die man had de kracht van een beer.

Sterk blijven, Peter Jan, dacht Punt. Sterk blijven, jongen. Hij keek de man strak in de ogen, kneep zo hard mogelijk terug en zei met luide stem: 'Peter Jan Punt! Welkom, Klaas! Ga zitten. Koffie?'

'Lekker,' gromde de man.

Punt draaide de dop van de thermoskan een slag en schonk de koffie in.

'Waar zijn de kinderen?' vroeg hij toen.

25

5 Juf Jeltje en juf Gré

'Je hebt bloed,' zei Jonnie.

Berrie keek zijn zusje fronsend aan.

Ze zat naast hem op de voorbank van een auto. Het houten voertuig stond in de school, in een kleine hal bij de wc's. Het was een prachtig zelfgemaakt ding, met binnenin een dashboard vol knopjes en klokjes en een echte ingebouwde radio.

Achter, in de open laadbak, stonden een tv'tje en een computer…

Vol bewondering waren ze achter het stuur gekropen; het was een echt autostuur, je kon eraan draaien. De portieren hadden plastic ramen en op de voorruit zaten ruitenwissers. Ook echt!

Toen Klaas van de wc kwam en hen riep, hadden ze zich snel en zo stil als ze konden op de vloer achter het portier van de auto verstopt. Doodstil, en net zolang tot hij wegging.

'Bloed? Waar?'

'Bij je oor.'

Berrie liet het autostuur los en streek voorzichtig langs zijn rechteroor, het oor waaraan zijn vader hem zo bruut een halfuur geleden de tuin in had getrokken.

Bezorgd bekeek hij het topje van zijn vingers: rood!

'Hoe komt dat?' vroeg Jonnie.

'Weet ik niet,' mompelde Berrie. 'Gestoten of zo.'

Jonnie bleef hem aankijken. 'Heeft papa dat gedaan?' fluisterde ze.

'Papa?' vroeg Berrie quasi-verbaasd.

'Ja,' zei Jonnie zacht, 'in de tuin?'

Berrie zweeg.

Ontkennen had geen zin; Jonnie zag en hoorde alles.

Hij likte het bloed weg en waste met een natte vinger zijn oor schoon.

'Zie je nog wat?' vroeg hij toen.

Jonnie keek niet. Ze staarde recht vooruit en stak aarzelend een handje op. Zwaaide ze? Naar wie?

Nieuwsgierig tuurde Berrie het halletje in.

Vlakbij, voor hem, op enkele meters van de auto, was een roze deur.

De deur stond halfopen en een kleine vrouw met een grote bril en heel lange blonde haren stapte het halletje in. Wie was dat? Een juf?

Glimlachend liep ze op hen af. Ze bleef naast het autoportier staan, gluurde door het raampje en klopte aan.

Verlegen opende Berrie het houten portier.

'Hallo daar,' zei de vrouw. 'Ik ben juf Jeltje. Wie zijn jullie?'

'Jonnie,' riep Jonnie opgewekt. 'En hij Berrie. Ik kom op deze school, want ik ben zes. We hadden brand. Maar nu niet meer. Nu hebben we een goed huis.'

Juf Jeltje glimlachte. Ze stond voorovergebogen en keek Berrie aan. 'Gaaf karretje, hè?'

Berrie knikte.

In de gang achter juf Jeltje dook nog een vrouw op.

'Jel?'

Juf Jeltje keek om. 'Ja, Gré?'

De vrouw bleef staan en zuchtte. 'Is dat probléémgezin er al? Ik wil naar huis!' Puffend schoof ze de mouwen van haar trui een voor een omhoog en ze sloeg haar armen ongeduldig over elkaar.

'Wie niet, Gré?' antwoordde juf Jeltje koeltjes. 'Wie niet.'

Ze deed een stap opzij en wees vrolijk naar de kinderen in de auto. 'Verrassing!' grinnikte ze. 'Kijk eens, juffrouw Gré? Ze zijn er al! Dit is autocoureur Berrie. En zijn medepassagier heet Jonnie.'

Tuut tuut! klonk de claxon.

Jonnie haalde haar duim van het stuur en glunderde.

'Goed getimed, meisje,' zei juf Jeltje lachend. 'Stap maar uit, kindje. Dan laat ik je de klas zien. En jij, Berrie, ga jij met juf Gré mee?'

Zwijgend klom Berrie uit de autocabine en aarzelend liep hij op juf Gré af.

Werd die vrouw zijn nieuwe juf? Dat norse mens, dat nu alweer ongeduldig op haar horloge keek – op zo'n kinderachtig Donald Duck-dingetje?

'Zo, Berrie,' zei de vrouw gehaast, 'zit je in groep zeven?'

Berrie knikte.

'Goed, loop maar mee. Dan laat ik je de klas zien.'

Ze draaide zich om en beende een lange gang in. Met tegenzin hobbelde Berrie achter haar aan.

Mozes, schrok hij, toen hij de juf van achter zag: wat een enorme billen had die vrouw. Het leek wel een paardenkont. Ze liep niet, ze waggelde... Haar hele achterwerk bewoog... Hop naar links, hop naar rechts.

En de vrouw maakte geluid: bij elke stap die ze deed, klonk het *iep*. Het kwam uit haar schoenen.

Aan het eind van de gang duwde de juf een klapdeur open. Ze hield het ding vast en keek achterom.

Berrie begreep het. Hij versnelde zijn pas en glipte langs de vrouw een grote zaal in.

'Wacht eens,' zei de juf ineens. Ze pakte hem bij zijn schouder en bekeek van heel dichtbij de rechterkant van zijn hoofd.

'Je oor bloedt. Hoe komt dat?'

Berrie haalde zijn schouders op.

Gaat je geen donder aan, dacht hij. Hij maakte een vinger nat en wreef over de pijnlijke plek. 'Gestoten,' zei hij onverschillig.

'Waar?' vroeg de juf.

'Net,' loog Berrie, 'bij die auto.'

Juf Gré keek hem strak aan en liet zijn schouder niet los. Ze kwam nog dichterbij, haalde luidruchtig adem door haar neus en vroeg toen langzaam en zacht: 'Rook jij?'

'Nee,' zei Berrie geschrokken.

Weer zoog de juf krachtig lucht op door haar neus. 'Je ruikt anders heel erg naar sigaret.'

Wist de juf dat hij rookte? Had papa haar dat verteld?

Vast niet.

Berrie bleef koel. 'Mijn moeder rookt.'

'In huis...' vroeg de juf, 'of buitenshuis?'

'Gewoon,' bromde Berrie, 'overal.'

Op dat moment ging er vlakbij in de wand van de grote schoolzaal een deur open en een man stapte zwierig naar buiten. Wie was dat nou weer? Een meester? Wat een maf haar had die man: blond en hoog, en in golven achterover gekamd.

'Ha, ziedaar!' riep de meester uitbundig toen hij Berrie ontdekte. 'Uw zoon heb ik al vast gevonden!'

Berrie bewoog zich niet.

Wie was die man? De directeur?

In de deuropening verscheen het witte, magere gezicht van zijn moeder. En boven haar het reusachtige hoofd van zijn vader.

'Die mevrouw naast uw zoon,' zei de directeur, 'is juffrouw Gré. Ze is leerkracht van groep zeven, hè, juffrouw Gré?'

Juffrouw Gré antwoordde niet. Ze liet de schouder van Berrie los, waggelde op zijn ouders af en gaf ze een hand.

'Ik zal het maar meteen zeggen,' begon juf Gré, 'de kleren van uw zoon stinken naar sigaret.'

'Echt waar?' mompelde zijn moeder.

'Ja,' zei juf Gré zelfverzekerd. 'Rookt u, mevrouw?'

'Als een schoorsteen,' bromde Berries vader.

'Hoor hem,' snauwde zijn moeder, 'zuipschuit nummer 1.'

'Niet meer, Jessica!' wierp zijn vader tegen. 'Niet meer! Dat Berrie stinkt, komt door die gore stinkstokken van jou.'

'O ja?' bitste zijn moeder. 'Heb je jezelf weleens geroken als je hebt gezopen?'

De directeur wilde iets zeggen, maar juf Gré was hem voor.

'In mijn klas wordt niet gestonken,' zei ze streng. 'Niet naar zweet. Niet naar drank. En zeker niet naar sigaretten. Kinderen die stinken, worden gepest. Dat geeft een hoop onrust en gezeur, en daar heb ik helemaal geen zin in. Bent u het daarmee eens?'

Zijn ouders knikten gedwee.

'En zult u ervoor zorgen dat Berrie gegéten heeft, voordat hij naar school gaat?'

Weer knikten zijn ouders braaf.

'Heeft u jodium?' vroeg juf Gré.

'Jo… wat?' mompelde zijn moeder.

'Jodium, mens,' bromde Berries vader. 'Hoezo?'

'Uw zoon bloedt, meneer,' zei juf Gré.

'Bloed?'

'Ja, hij heeft een wond bij zijn oor.'
Verbaasd keek zijn vader hem aan. 'Echt waar, Ber?' klonk het zacht. Berrie antwoordde niet. Peilend bestudeerde hij het gezicht van zijn vader. Hoorde hij iets van schrik in zijn stem? Iets van medelijden en spijt?

6 Verandering

Wat te verwachten was, gebeurde: juffrouw Jeltje zei: 'Ja, graag,' tegen Jonnie. En juffrouw Gré verzuchtte schouderophalend: 'Vooruit dan maar,' tegen Berrie.

Directeur Punt schreef 'zijn' Jonnie en Berrie onmiddellijk in en belde de Raad van Kinderbescherming.

'Fijn, meneer Punt,' was de reactie uit Haarlem. 'Wij hebben er vertrouwen in. Wij sturen u de informatie over de afgelopen jaren toe. Veel succes met dit gezin…'

'Wat stinkt het hier?' snoof Berrie, toen hij de volgende dag uit school thuiskwam en de kamer binnenstapte. Er hing een vreemd goor luchtje in huis, dat hij niet kende.

'Kijk?' zei zijn moeder trots. Ze zat op een stoel bij het open raam en liet hem de vingers van haar beide handen zien. 'Helemaal wit!'

Nieuwsgierig kwam Berrie dichterbij. Ja, het was echt zo! Zelfs haar nagels waren schoon. 'Mooi hè, Berrie?'

Berrie knikte en trok ineens zijn hoofd terug.

'Wat is er?' vroeg ze.

'Jeetje,' blies Berrie afkeurend, 'je handen meuren. Ruik je dat niet?'

'O,' lachte zijn moeder, 'dat is dat spulletje, zeker.'

Ze draaide zich naar het raam en pakte een groene plastic fles van de vensterbank. Bleekmiddel, las Berrie.

'Van de C 1000,' zei ze. 'Ze zeggen dat je er alles mee schoon krijgt. Ruik maar.'

'Nee, bedankt,' bromde Berrie.

Zijn moeder zette de fles terug en pakte haar baaltje shag. 'Waar is je zus?' vroeg ze zonder op te kijken.

'Met dat meisje mee,' zei Berrie. 'Roos heet ze.' Hij schoof aan tafel en keek hoe zijn moeder een dikke peuk rolde.

'Alweer? Waarom komt ze niet hier met dat meisje? Ze kunnen hier toch ook spelen?'

'Tuurlijk niet,' zei Berrie smalend. 'Wat moeten ze hier? Geen tv. Geen video. Geen computer.'

Zijn moeder pakte de aansteker. Ze stak het sjekkie aan en blies de rook door het open raam naar buiten.

'Mag ik een trekje?' vroeg Berrie.

'Mijn reet! Als die juf het ruikt… Of Klaas.'

Berrie zuchtte. Hij peuterde aan het wondje bij zijn oor: het jeukte.

'Alles komt goed, Berrie,' zei zijn moeder zacht. 'Je vader werkt weer. Als de schulden betaald zijn, kopen we de grootste tillevisie van de hele wereld.'

'Ja ja,' spotte Berrie, 'over tien jaar, zeker!'

Zijn moeder nam een flinke trek en blies de rook opnieuw rechtstreeks door het raam de tuin in. 'Nee nee,' fluisterde ze, 'ik heb een plannetje. Ik ga werrukku…'

'Jij?' lachte Berrie meewarig. 'Wat ga je dan doen?'

'Kapster!' zei zijn moeder strijdlustig.

'Kapster? Waar?'

'Hier, in dit huis.'

'Hoe dan?'

'Gewoon.' Zijn moeder glimlachte. 'Ik hang al bij de C 1000. Op zo'n bord, met een kaartje: KAPSTER JESSICA IS GOED EN GOEDKOOP.'

Plotseling klonk er een schril geluid door het huis. Geschrokken staarde zijn moeder hem aan. 'Wat was dat, Ber?'

'De bel,' mompelde Berrie.

'De bel?' fluisterde de moeder bangig. 'Wie kan dat zijn? Doe jij open?'

Berrie knikte.

Hij wipte van de stoel, liep de gang door en deed de voordeur open.

Buiten stond een oudere mevrouw in een grijze jas, met een boodschappentas op wieltjes. 'Dag jongeman, ik kom voor de kapster. Voor Jessica. Is ze thuis?'

Berrie knikte. 'Ja hoor, ik haal d'r wel even.'

Hij liet de voordeur op een kier en rende op zijn tenen naar de kamer.

'Mam,' riep hij zacht en glunderend, 'je eerste klant! Mam...?'

Verbaasd keek hij naar de lege stoel bij het raam.

'Mam, waar ben je?'

Onder de tafel klonk een licht gesnotter.

'Mam?'

Berrie zakte door zijn knieën en speurde tussen de poten van de tafel.

Daar zat ze! Zijn moeder! Huilend met een rood betraand hoofd, voorovergebogen op haar knieën.

'Er is een mevrouw. Ze komt voor jou, voor de kapster.'

Het gezicht van zijn moeder verkrampte. 'Neeee...' fluisterde ze snikkend.

'Wat is er?' vroeg Berrie.

'Ik kan het niet,' snikte ze, 'ik kan het niet. Ze moet weggaan.'

'Ja dag,' zei Berrie. 'Je eerste klant. Je kan geld verdienen!'

Ze haalde een hand over haar natte neus en veegde de tranen uit haar ogen. 'Ik kan het niet,' snikte ze weer. 'Niet nu. Het is te druk.'

Berrie dook onder tafel.

'Kom,' zei hij. 'Niet bang zijn. Ze ziet er heel aardig uit. Echt!' Hij pakte haar arm en trok.

'Néé!' krijste zijn moeder panisch. Ze rukte zich los en kroop nog verder van hem vandaan.

'Morgen dan?' hield Berrie vol. Hij dacht aan de nieuwe kleurentelevisie. En een nieuwe computer. 'Zal ik zeggen dat je morgen kan?'

'Ik kan het niet,' piepte ze.

'Je kan het wel!' zei Berrie fel. Hij kwam overeind en rende naar de voordeur.

De mevrouw stond er nog.

'Mijn moe... eh... Jessica heeft het nu te druk,' zei hij. 'Kunt u morgen komen?'

'Hoe laat?' vroeg de vrouw.

Ja, hoe laat, dacht Berrie. Niet te vroeg in ieder geval. Zijn moeder was gek op uitslapen. ''s Middags om twee uur?'

De vrouw knikte. 'Goed, morgenmiddag om twee uur. Doe Jessica maar de groeten.'

'Doe ik,' zei Berrie. Hij sloot de deur en liep snel naar de kamer terug.

Zijn moeder hield zich nog steeds onder tafel verscholen. 'En...?' fluisterde ze.

'Ze komt morgen terug, 's middags om twee uur.'

'Grote genade...!'

Ze loerde naar de voorzijde van het huis en sloop toen ze niemand zag naar de stoel bij het achterraam. Ze greep de shag en kroop ineengebogen op de stoel. Met trillende vingers rolde ze razendsnel een sigaret.

'Hoe oud is ze?'

'Weet ik niet,' zei Berrie. 'Heel oud...'

'Wat voor haar heeft ze?'

'Gewoon,' zei Berrie, 'grijs met krullen.'

'Zei ze verder nog wat? Wat ze wil of zo...? Wassen? Knippen? Een kleurspoeling?'

'Nee,' zei Berrie. 'Alleen dat ze er morgen om twee uur is. Ik moest de groeten doen.'

Zijn moeder stak het sjekkie aan, inhaleerde diep en blies de rook door het raam naar buiten.

'Ze lijkt me heel aardig,' zei Berrie.

Zijn moeder nam nog een trek. Ze keek de rook na en langzaam verdween de gespannen blik uit haar ogen.

Heimelijk tuurde Berrie naar haar peuk: o, wat lonkte dat heerlijke sjekkie.

Ineens begon zijn moeder te glimlachen. Ze legde het pakje shag op de vensterbank, stond op en trok Berrie giechelend mee de trap op naar boven.

Er moest een kamertje vrijgemaakt worden, zei ze. Een salonnetje, waar ze haar eerste klant kon ontvangen. Ze ging de spiegel poetsen en de wastafel soppen. Berrie moest de vloer schoonmaken en een mooie stoel zoeken. Misschien konden ze nog langs de kringloop voor een droogkap of een föhn. Een eigen kapsalon – ze zag het ineens weer helemaal zitten.

Plotseling ging de bel.

Alweer?

Zijn moeder verstijfde opnieuw, maar Berrie niet.

'Nog een klant?' zei hij grijnzend. Hij rende naar het raam aan de voorzijde van het huis en tuurde nieuwsgierig omlaag.

Weer een vrouw?

Nee!

Er stond een man voor de deur met een groot zwart apparaat in zijn handen.

Zijn vader!

En wauw… langs de stoep voor hun huis stond een stoere wagen geparkeerd! Een lichtblauwe Toyota-pick-up met gave velgen! In de laadbak lagen een groene damesfiets en andere spullen.

'Wie is het?' fluisterde zijn moeder.

'Papa!' riep Berrie.

Hij draaide zich om en rende het kamertje uit. 'Met een apparaat! En een Toyota-pick-up.'

'Een wát...?'

Berrie denderde de trap af. Hij holde de gang door en trok zo snel hij kon de voordeur open.

Daar stond zijn vader, en hij droeg een kanjer van een televisietoestel!

'Uit de weg!'

Berrie deed een stap opzij en liet zijn vader passeren.

'Waar heb je die vandaan?' klonk het schel en verwijtend vanaf de trap. 'Heb je schulden gemaakt? O wee, hè!'

'Hou je kop, Jes,' hijgde zijn vader. Hij duwde de kamerdeur open en sjouwde het enorme toestel naar een hoek van de kamer.

Het ding had een ingebouwde video! ontdekte Berrie.

'Loop eens mee, Ber,' grinnikte zijn vader toen de tv op de grond stond. 'Ik heb nog veel meer.'

Zijn vader overdreef niet: de laadbak van de Toyota lag vol spullen! Niet alleen een kleine groene damesfiets, maar ook een friteuse, een tafelmodel koelkast, een mini-stereotoren, een kruimeldief, een grote ovale spiegel en zelfs een haarföhn.

'Hoe kom je daar allemaal aan?' vroeg Berries moeder onophoudelijk. Ze wilde absoluut eerst weten waar haar man de spullen vandaan had en hoeveel ze kostten.

'Via een collega,' vertelde zijn vader. 'Allemaal spullen uit het huis van zijn dooie moeder; en helemaal voor niks! Hoor je dat, Jes, helemaal voor niets!'

Voor niets? Voor niets? Ze vroeg het wel tien keer. Al die spullen voor niets?

'En die gave Toyota?' wilde Berrie weten. 'Is die ook van die moeder?' Nee, de pick-up had zijn vader geleend van die aardige collega. De auto moest morgen weer terug.

Jammer, dacht Berrie. Maar verder was hij dik tevreden: hij mocht de stereo!

Na een tijdje sjouwen stond alles in huis, en toen Jonnie thuiskwam en als eerste de tv aan mocht doen, ging ze gillen. En ze gilde nog luider toen bleek dat ze ook nog patat en frikadellen aten. Niet uit de snackbar, nee, zomaar uit hun eigen keuken, uit een spetterende pan die papa vandaag had meegebracht.

's Avonds zaten ze alle vier samen, elk met een dampend bord op de knieën, voor de televisie. Berrie genoot.

'Gezellig hè, jongens?' zei zijn moeder, terwijl ze een sjekkie rolde.

Ja, voor het eerst sinds lange, lange tijd was het 'leuk' in huis.

7 Luizen

De nazomer begon; het werd kil in de school.

Directeur Peter Jan Punt wandelde door de stille gangen.

De middaglessen waren bezig.

Hier en daar pakte hij een jas van de grond en hing die zwijgend bij de andere aan de kapstok.

Kijk, daar zwierf er weer een over de vloer. Een groene jas, met een met bont gevoerde capuchon, bij de kapstok van groep zeven.

Zal ik er de klas mee in lopen? dacht Punt. Even kijken wie de eigenaar is? En de sloddervos de jas zelf terug laten hangen?

Even de sfeer opsnuiven en tegelijk een blik op Berrie werpen?

Het was verbazend hoe het ventje zich gedroeg! Collega Gré was zeker niet de makkelijkste in de omgang. Ze had weinig geduld en kon knorren als de beste, maar tot nu toe had ze over Berrie niets te klagen.

'Hij is achter met breuken en staartdelingen,' dat was zo'n beetje de enige zorg die juf Gré over Berrie te melden had.

De jongen stonk niet meer naar sigarettenrook en juf Gré had tijdens de gymles nog geen blauwe plekken ontdekt. Sociaal gaf Berrie ook geen problemen. De klas scheen hem aardig te accepteren. Dat was wel anders met zijn zusje Jonnie. Bij opwinding had het arme kind nauwelijks controle over haar sluitspieren: ze plaste op de gekste momenten in haar broek. Juf Jeltje had er haar handen vol aan. 'Ze zit niet goed in haar vel, hoor,' zei juf Jeltje keer op keer tijdens de koffie.

Punt griste de groene jas van de grond, rook er even aan en inspecteerde de kapstok van groep zeven.

Hé, het ding zat overvol, er was geen haak vrij. Daar hingen er zelfs drie jassen aan één haak! Hoe kon dat?

Hij telde de haken, een voor een, en schrok: groep zeven had vijf haken te kort! Stom, Peter Jan, dacht hij. Stom. Hij moest een extra kapstok bestellen, en gauw ook! Hij hing de jas aan een vrije haak bij de kapstok van groep zes en liep haastig verder de school in. Aan het eind van een gang opende hij met een sleutel de deur van het verwarmingshok, draaide de schakelaar van de ketel op de winterstand, drukte zestig tellen de rode aan-knop in en hoorde 'woef' toen de installatie aansloeg. Tevreden liet hij de rode knop los. Dit moment, het eigenhandig aandoen van de schoolverwarming, gaf hem ieder jaar weer een opwindend gevoel: alsof even niet de zon, maar hijzelf de temperatuur bepaalde.

'Peter Jan?' klonk het ineens vlakbij.

Het was collega Jos. De oude meester met de wilde grijze baard stond bij de deuropening van het verwarmingshok en keek hem ernstig aan. Hij had een vel papier in zijn handen.

'Lees dit eens…'

Zwijgend nam Punt de brief over en las de handgeschreven tekst, langzaam en geconcentreerd.

Nee toch!

Peter Jan Punt bleef koel, maar zijn hersenen sloegen op hol. *Hoofdluis?In zijn keurige school? In groep zes? Bij collega Jos?De meester met de baard…*

Punt hield niet van baarden.

'O, zijn jullie hier!'

Punt en meester Jos keken verstoord op. Het was collega Jeltje. Ze wapperde met een papier en zei zuchtend: 'Schrik niet, jongens. Maar ik heb er eentje met hóófdluis.'

Mijn God, dacht Punt geërgerd.

'Jij ook?' fluisterde meester Jos verwonderd. 'Wie…?'

'Je zult het niet geloven,' zei juf Jeltje zacht, 'Antoinet!'

'Antoinetje?' fluisterde de oude meester. 'Poe, dat zal Gerardine niet leuk vinden. Die schaamt zich kapot, dat weet ik nou al!'

Punt tuurde naar de brief, maar hoorde elk woord van zijn collega's.

'Heb jij er ook een?' vroeg juf Jeltje nieuwsgierig.

'Richelle,' knikte meester Jos bezorgd. 'Haar moeder kwam ermee.'

'Richelle? Nou ja,' zei juf Jeltje verbaasd, 'dat is wel de laatste bij wie je het verwacht.'

Peter Jan Punt voelde ineens een licht gekriebel achter zijn oor, maar hij schonk er geen aandacht aan. 'Het zegt niets,' zei hij ferm, 'die luis kunnen ze ook van een ander kind uit de klas gekregen hebben.' Hij pakte de brief van collega Jeltje aan en las hem snel door.

'Twee gevallen van hoofdluis,' mompelde hij bedachtzaam. 'Een bij de kleuters en een in groep zes. Dit moeten we goed aanpakken. Ik zal de beide moeders meteen bellen en vertellen wat ze moeten doen. En vanmiddag krijgt elk kind uit jullie groepen een "luizenbrief" mee naar huis. Dit moeten we in de kiem smoren! Let ondertussen op de rest van de kinderen in je klas. Wie op zijn hoofd krabt, is verdacht…'

Het laatste kwartier van de schooldag brak aan.

Juf Gré in groep zeven klapte in haar handen. 'Werk naar keus! Maar stil, ik heb een hoop te doen.'

Berrie dook in zijn eentje op de kussens in de leeshoek en sloeg een sciencefictionstrip open. Hij begon te lezen en peuterde ongemerkt aan het korstje op zijn oor.

Af en toe gluurde hij naar de kinderen in de klas en keek hij wat ze deden. Wie met wie computerde, wie met wie schaakte of luidruchtig kaartte. De meeste jongens waren aardig: ze lieten hem met rust. Een vriend had hij nog niet. Wel jammer, maar ook makkelijk, want hij kon toch niemand mee naar huis nemen.

'Sukkel!' riep iemand. 'Geef dan schoppen acht!'

'Zachter!' maande juf Gré mopperig. 'Zo kan ik niet werken.'

De juf zat achter haar bureau. (Ze zat er de hele dag zo'n beetje, merkte Berrie.) Ze keek schriften na met een groene pen en krabde ermee op haar hoofd.

Toen de bel ging, stoof Berrie de klas uit. Als eerste was hij bij de kapstok. Hij liet zijn ogen langs de jassen glijden en hield in: zijn jas hing er niet.

Het was een groene met een gave eskimocapuchon. Berrie zocht nog eens. Wat raar, hij hing er echt niet.

Hij had hem net nieuw, zijn vader was ermee thuisgekomen. Jonnie kreeg er ook een, een lichtblauwe. Vertwijfeld keek Berrie om zich heen. Wat nu?

Groep acht was nog niet uit…

Vlug liep hij naar hun kapstok en zocht haastig met twee handen tussen de kledingstukken; jeminee, wat een geur hing hier! De jassen van groep acht roken stuk voor stuk naar parfum en deodorant. Maar de zijne hing er niet tussen.

Nijdig tuurde Berrie de gang in. Verdorie! Waar was zijn nieuwe jas?

Op de hoek aan de kapstok van groep zes hing iets groens.

Snel stapte Berrie eropaf, sloeg de jas open, bekeek het label en voelde in de zakken.

Ja! Het was 'm!

Opgelucht wipte hij zijn jas van de haak.

Wie had de jas hier opgehangen? Hij niet.

'Hé, sukkel!' snauwde iemand. 'Oprotten! Dit is onze kapstok!'

Verbaasd keek Berrie om.

Het was Bram, uit groep zes, Berrie kende hem wel. Jonnie speelde vaak met Roos, het zusje van Bram.

'Doe effe rustig, ja?' zei Berrie. 'Iemand anders heeft mijn jas hier gehangen, ik niet.'

Bram grijnsde. De jongen hield wapperend een vel papier omhoog, tikte er met een vinger op en wees uitdagend naar Berrie.

Op het papier stonden letters.

'Wat is er?' vroeg Berrie droog.

'Gaat over jou!' grinnikte Bram.

In de gang liepen nog meer zesdegroepers. Ze hadden allemaal zo'n papier vast. 'Aah, jeuk!' speelde iemand klagend. 'Ik heb vreselijke jeuk!'

Sommige jongens rolden het papier op tot een koker en sloegen elkaar ermee op hun hoofd: 'Luizen!' joelden ze treiterig. 'Kijk uit, jongens, vette luizen!'

'Dat bedoel ik,' fluisterde Bram vals. Hij keek Berrie geniepig aan en pakte een jas van de hoek van de kapstok. Het ding hing aan de voorlaatste haak; precies naast de plek waar even daarvoor de jas van Berrie had gehangen.

'Getver…' mompelde Bram met een vies gezicht. Hij hield de jas ver van zich af en begon het kledingstuk demonstratief af te kloppen.

Berrie schrok: hij herkende dit soort pesterig gedoe van de vorige school. 'Is er wat?' vroeg hij scherp.

Bram grijnsde. 'Zal jij niet weten!' Hij wapperde met de jas, stampte op de grond alsof hij beestjes doodtrapte en holde gauw naar de uitgang van de school. 'En je zus stinkt!' riep hij, voordat hij de school uit glipte.

Wat?

Beledigd liep Berrie de school uit.

Waarom deed die Bram ineens zo etterig? Hij kende die jongen alleen van naam.

Buiten speurde Berrie het plein af.

'Je zusje huilt, hoor,' zei iemand plotseling.

Jonnie!?

'Waar?'

'Daar...'

Jonnie stond bij de fietsenstalling, in haar lichtblauwe jas. Ze keek naar de punten van haar schoenen en schokte met haar schouders.

Berrie maakte een sprintje.

'Wat is er?' vroeg hij bezorgd. 'Waarom huil je?'

'Ik, ik...'

'Nou...?'

'Ik mag... niet meer... met Roos spelen.'

Haar wangen waren nat van de tranen en aan haar neus hing een sliertje snot.

Berrie zocht een zakdoek, maar hij had er geen.

'Van wie niet?' vroeg hij toen zacht. 'Van haar broer? Van Bram?'

Jonnie schudde haar hoofd. Ze haalde diep adem. En nog een keer.

'Van de moeder,' snikte ze toen. 'Van de moeder... van Roos.'

42

8 Herenbezoek en hondjes

Berrie was thuis.

Hij zocht zijn moeder.

Hij stond boven voor de dichte deur van het kamertje dat nu Jessica's kapsalon heette, en luisterde. Beneden snikte Jonnie na. Ze lag ineengekropen op de bank en staarde naar de televisie, met haar beide Barbiepopjes stevig tegen zich aan gedrukt.

'Zo goed?'

Nieuwsgierig legde Berrie zijn oor tegen de deur: de kraan in het kamertje stond aan en er klonk gespat. Had zijn moeder alweer een klant? De zaak liep goed!

'Niet te heet?' hoorde hij haar vragen.

'Nee hoor,' bromde een stem, 'lekker zo, Jessica.'

Berrie schrok. Een mannenstem? Kwamen er ook mannen om geknipt te worden?

Hij klopte op de deur, deed hem langzaam open en gluurde om een hoekje.

Mozes!

Voor de wastafel stond een halfbloot iemand. Een man! Hij had alleen een lange broek en schoenen aan en hing met zijn hoofd vol schuim voorover boven de wasbak. Wie was die vent?

Zijn moeder keek verstoord op. Ze stond vlak naast de bloterik en masseerde zijn hoofd. 'Jeetje Ber,' mopperde ze, 'is die school nou al uit?'

Berrie knikte. 'Jonnie huilt,' zei hij zacht.

'Ik ben bezig,' antwoordde ze snibbig en ze gebaarde met haar hoofd dat hij op moest hoepelen. 'Geef d'r maar een snoepie.'

Zachtjes sloot Berrie de deur. Verward en geschrokken ging hij de trap af naar beneden.

Een vreemde vent in huis?! Hoe kon ze zoiets doen? Als zijn vader dát zag… Dan begon alles weer opnieuw! Het geschreeuw, de ruzies, het slaan…

Hij zocht beneden een snoepje, gaf dat aan Jonnie, nam er zelf ook een en wachtte in de kamer op zijn moeder. Hij hoopte vurig dat die bloterik weg zou zijn, voordat zijn vader thuiskwam.

Boven aan de trap klonken stemmen. Eindelijk!

Berrie sloop vlug naar de deuropening en loerde de gang in. De man kwam de trap af. Hij had de rest van zijn kleren weer aan: een wit overhemd met een rode stropdas en een blauw jasje. Wat een heer! Zijn zwarte haar zat keurig strak en glom. 'Bedankt, Jessica!' riep hij in de gang, en hij opende zwierig de voordeur. 'Wat mij betreft, tot ziens…?'

'Ja hoor… eh… Paul,' riep zijn moeder van boven. 'Tot ziens, je hebt lekker haar om te knippen.'

'Is goed!'zei Paul met een glimlach. 'Dag…'

Hij stapte naar buiten; op hetzelfde moment reed in de straat een motor voorbij. Het ronkende gedreun van de machine galmde door de gang en werd minder toen de voordeur in het slot viel.

'Jongens,' gilde zijn moeder hysterisch. 'Zagen jullie dat? Ik moet een peuk! Ik moet een peuk!'

Ze stormde de trap af en holde de kamer in. Ze stoof op haar shag af, plofte uitgeput neer in de stoel bij het raam en rukte het pakje open.

'Mama..?' snikte Jonnie. 'Mama..?'

'Stil meis, niet huilen nou. Mama is moe.'

Verontwaardigd wachtte Berrie af. Nog geen seconde bekommerde zijn moeder zich om Jonnie. Al haar aandacht ging naar de shag. Ze rolde haastig een sigaret en stak er gretig de vlam in. Ze inhaleerde diep, blies met kracht de rook voor zich uit en staarde gelukzalig omhoog.

'Mam,' zei Berrie, 'Jonnie huilt.'

Zijn moeder keek op. 'Wat is er nou?' zei ze bits.

Jonnie schrok ervan en viel stil.

'Zal ik het zeggen?' vroeg Berrie zacht. Zijn zusje knikte.

'Jonnie mag niet meer met Roos spelen.'

'Roos?'

'Ja, Roos. Dat meisje uit haar klas. Ze woont hierachter, in een van die huizen.'

'Nou...' zei hun moeder onverschillig, 'is dat zo erg dan?' Ze tipte wat as van haar sigaret.

'Voor Jonnie wel,' zei Berrie.

'Heb je ruzie gemaakt?' vroeg zijn moeder.

Jonnie schudde haar hoofd.

'Stout geweest?'

'Nee.'

'Wat is er dan gebeurd?'

'Weet ik niet,' snikte Jonnie intens verdrietig. 'De moeder van Roos zei het.'

'Wat zei ze dan?'

'Dat ik niet meer met Roos mag spelen.'

'Wat een truttenkop. Wanneer zei die moeder dat?'

'Net,' snikte Jonnie. 'Nou heb ik echt niemand meer om mee te spelen.'

'Tuurlijk wel,' zei zijn moeder, 'er zijn toch wel andere leuke kindjes op school.'

'Nee,' zei Jonnie, 'die willen niet met mij. Alleen Roos doet lief.'

'Maar je hebt Berrie toch. En mij. En papa?'

Jonnie kroop op de bank terug. Ze trok haar knieën op en schoot plotseling geschrokken overeind. Ze gleed voorzichtig van de bank en schuifelde met samengeklemde benen de kamer uit.

'Wat is er, lievie?' riep zijn moeder haar na.

Berrie zag zijn zusje in de gang de deur opengooien en de wc in schieten.

'Ze heeft het in haar broek gedaan,' zei hij zacht.

'Donder ju!' verzuchtte zijn moeder. 'Ook dat nog.' Nijdig kwam ze overeind en ze onderzocht de bekleding van de vierzitter.

'Gelukkig,' mompelde ze, 'geen pisvlekken.' Ze liep naar haar shag terug en begon in de stoel een tweede peuk te draaien.

'Ik weet, denk ik,' zei Berrie zacht, 'waarom Jonnie niet meer met Roos mag spelen. Haar broer zegt dat Jonnie stinkt.'

'Echt waar? Stinkt Jonnie dan?'

'Ik weet het niet,' zei Berrie, 'maar zij vinden van wel, denk ik. Tegen mij deed die broer ook lullig. Onze jassen hingen naast elkaar. Hij deed of ik luizen had.'

'Pietjes?' siste zijn moeder. 'Is-ie helemaal? De volgende keer geef je hem een trap voor zijn sodemieter. Deed ik vroeger ook. Ben je meteen van dat gezeik af.'

Ze stak de tweede peuk aan en blies de rook onbedoeld in de richting van Berrie. 'Shit,' zei ze, 'die juf!' Ze maakte snel het raam los, duwde het open en blies de rook naar buiten. Achter, ergens in de steeg tussen de huizen, klonk een zwaar geronk. Het dreunende geluid werd harder en harder en bleef in de buurt van hun schuur hangen.

'Wat is dat voor een klereherrie?' vroeg zijn moeder schor.

Berrie hield zijn adem in en luisterde: de herrie was inderdaad ongelooflijk. Alsof er een brullende beer in aantocht was.

Plotseling bewoog de poort in hun achtertuin.

Hij vloog open en een zwart glimmend gevaarte kwam brommend en grommend hun tuin in rijden.

Een motor! De bestuurder droeg een zwarte helm en een donkere leren jas en was onherkenbaar.

'Donder ju,' zei zijn moeder luid, 'wie is dat? Tonnie?'

Tonnie? dacht Berrie verbaasd. Zijn halfzus? Op een motor?

'Maar Tonnie zit toch vast?'

Zijn moeder reageerde niet; angstig volgde ze het individu op zijn luidruchtige voertuig.

De berijder van de motor was groot, en breed... het kon Tonnie nooit zijn, dacht Berrie.

In het midden van het tuintje hield de onbekende halt en deed iets met een knop op het stuur; het oorverdovende lawaai verstomde en de motor sloeg af. De motorrijder stapte van de machine, trok de helm los en tilde die van zijn hoofd.

Wauw!

Berries ogen werden groot. Het was zijn vader!

'Krijg nou wat,' mopperde zijn moeder. 'Wat moet híj met dat ding?'

Ineens liep Jonnie door de tuin. Ze rende op haar vader af en bleef voor hem staan.

Zijn vader ritste de leren jas een stukje open. Hij stak een hand in de V-vormige opening en tilde er voorzichtig iets uit. Wat was het? Een knuffel?

Nee... het bewoog!

Berrie gooide de keukendeur open en stormde naar buiten. Zijn vader bukte naar Jonnie en stopte haar iets in haar handen. Het was bruin en het wriemelde met zijn pootjes.

Een hondje!

Jonnie kreeg een hondje! Een échte! Wat een moppie!

'Kinderachtig, zo'n pup, hè Ber?' vroeg zijn vader treiterig. 'Of wil je er ook een…?'

Berrie knikte aarzelend.

'Van wie is die motor?'

Plotseling verstrakte het gezicht van zijn vader. Vijandig loerde de man in de richting van het huis en siste zacht, maar duidelijk hoorbaar: 'Ja, kijk maar goed, teef. Ik kom zo bij je.'

Berrie schrok. Een messcherp angststeekje schoot door zijn maag.

Snel wierp hij een blik achterom en zag zijn moeder met een peuk in haar mond en met beide handen in haar zij voor het raam staan.

'Hier, Ber,' klonk het brommend achter Berrie.

Gauw draaide hij zich weer om.

Opnieuw verdween de hand van zijn vader in de leren motorjas, en hup: daar haalde hij nog een hondje te voorschijn! Een zwarte! Het diertje piepte en spartelde en keek met kleine oogjes hulpeloos en angstig om zich heen.

'Hou vast,' bromde zijn vader, en hij duwde het puppy weinig zachtzinnig in de handen van Berrie.

'Was er net een vent in huis, Ber?'

Berrie schrok, maar hij knikte.

'Wat moest-ie?'

'Mama heeft hem geknipt.'

'Waar?'

'Boven in het kleine kamertje, in eh… de kapsalon.'

'Zeker weten?'

'Ja, ik ben nog wezen kijken.'

'Wat zag je?'

'Nou gewoon,' mompelde Berrie, 'hij zat op een stoel. En mama knipte zijn haren.'

'Meer niet?' vroeg zijn vader scherp.

'Nee,' antwoordde Berrie zo onverschillig mogelijk, 'meer niet.'

Hij keek wel uit om te zeggen dat de bezoeker half in zijn blootje bij de wasbak stond.

'Hoe kom je aan die hondjes?'

'Van het slachthuis. De teef kwam onder een vleeswagen. Morsdood. Ze had zes jonkies, we hebben ze verdeeld.'

9 Broodje luis

'Jeuk op het hoofd, collega's! Hét kenmerk van hoofdluis.'

Peter Jan Punt stak demonstratief zijn hand achter een oor en begon zich flink te krabben. Hij lunchte met het hele team in de personeelskamer en wilde ze ongevraagd een lesje in luizenherkenning geven.

Collega Jos knikte. 'Meestal zitten ze achter de oren. En hier, in de nek.'

'Precies,' beaamde Punt.

Juf Jeltje lepelde stukjes fruit uit een bakje. Ze stopte, wees met het lepeltje naar collega Jos en giechelde: 'Maar jij hebt er een in je baard.'

De oude meester schrok. Warempel, tussen zijn baardharen zat een wit dingetje. Ha… een gemorst broodkruimeltje! Hij plukte het van zijn baard en stak het met een ondeugend gezicht in zijn mond.

'Mmm…' glunderde hij, 'en lékker dat-ie smaakt!'

Het team grinnikte.

'Alsjeblieft, mensen,' zei Punt, 'even serieus. We hebben al víér klassen met hoofdluis. Alleen door goed opletten en snel ingrijpen, kunnen we een plaag voorkomen. Luizen planten zich razendsnel voort. Een volwassen wijfje legt zes tot acht eitjes per dag. Elk eitje, een neet genaamd…'

'Ja, toe zeg…' onderbrak juf Gré hen luid met opgetrokken lip, 'lekker smakelijk! Hou eens op over die luis. Ik ben aan het eten, hoor…'

Verbaasd staarde Peter Jan Punt de juf aan. 'Wij lunchen allemaal, Gré. Heb jij al een kind in de klas met jeuk op het hoofd?'

'Gelukkig niet,' mompelde juf Gré. Ze pakte een kolossale brooddoos van tafel en schoof het deksel eraf. Ze inspecteerde een bruine broodbol, wipte er een hazelnoot uit en propte die tussen haar lippen.

Peter Jan Punt schudde zijn hoofd. 'Precies, Gré,' antwoordde hij geduldig, 'dat is nou juist zo lastig: niet ieder kind met hoofdluis krijgt per se jeuk. En er is nog iets: schaamte!'

'Schaamte?' mompelde juf Gré. 'Schaamte bij wie? Bij mij?'

'Nee,' zei Punt. 'Bij de ouders, Gré. Niet iedereen vertelt zomaar dat zijn kind luis heeft.'

Juf Gré haalde haar schouders op. 'Ik heb prettige ouders dit jaar; ik zie ze nooit...'

Er viel een stilte.

Punt tilde een melkpakje van tafel en goot het leeg in een glas. 'Collega's, even professioneel. Mag ik een minuutje van jullie lunchtijd? Of willen jullie liever een extra vergadering over dit onderwerp?'

'Nee nee, Peter Jan, niet nodig,' zei oude meester Jos snel. 'Ga maar door. We luisteren...'

'Jakkes,' onderbrak juf Jeltje. Ze wees naar de vloer, naar een witte plint. 'Daar kruipt er een!' giechelde ze.

Verstoord draaide Punt zich om. Er bewoog inderdaad iets kleins over de plint. Enkele juffen slaakten lacherig een gilletje en trokken hun voeten van de vloer.

Snel stond Punt op, hij boog zich voorover naar de plint en pakte het kruipertje voorzichtig tussen duim en wijsvinger beet.

'Een pissebedje,' bromde hij en liep ermee naar het raam. Hij duwde de vitrage weg, opende het raam en wierp het diertje tussen de struiken.

'Mensen,' zei de oude meester Jos vriendelijk. 'Laat Peter Jan nou even zijn verhaal doen. De lunch is zo voorbij.'

Punt ging zitten. 'Dank je. Kan ik verder...?'

Het team knikte.

'Een hoofdluis, Jeltje, kruipt enkel op je hoofd. Het is een parasiet, hij leeft uitsluitend van mensenbloed!'

'Jakkes!'

'Ja, jakkes,' knikte Peter Jan Punt. 'Het wijfje legt er ook eitjes. Ze plakt er maximaal acht per keer aan je haren; ze heten dan *neten*. Door de warmte op je hoofd ontwikkelt het eitje zich binnen tien dagen tot een larve.'

'Zo snel?' vroeg juf Jeltje verbaasd.

Peter Jan Punt knikte. 'Ja. Na nog eens tien dagen is een larve een volwassen luis en die kan zich alweer voortplanten. Binnen drie weken heb je 64 nieuwe luizen op je hoofd. De dag erna verdubbelt dat aantal zich al, want een wijfje legt élke dág zes tot acht eieren.' Hij zweeg en keek de kring triomfantelijk rond.

Ja, hij was goed op de hoogte.

Ineens stond juf Gré op. Ze manoeuvreerde zich langs de tafel en de benen van de collega's in de richting van de deur.

'Wat is er?' vroeg Punt korzelig. 'Ik ben nog niet klaar, hoor.'

Juf Gré was al bij de deur. 'Het is kwart over een. Ik moet buiten lopen.'

'O natuurlijk,' De directeur knikte. 'Goed dat je eraan denkt, Gré. Maar… blijf nog heel even.' Peter Jan Punt liet zijn stem zakken. 'Luizen kunnen niet springen en niet vliegen! Ze kunnen alleen lopen: van de ene haar naar de andere haar en van het ene hoofd naar het andere hoofd. Ze verspreiden zich heel makkelijk via de kragen van jassen…'

'O ja, Peter Jan…' onderbrak juf Gré hem, 'weet je dat ik zeven kapstokhaken te kort kom?'

'Zeven?' vroeg Punt kortaf. 'Vijf, om precies te zijn. Ik weet ervan. Er komen twee nieuwe mobiele kapstokken.'

Juf Gré keek op haar horloge. 'Mag ik naar het plein, Peter Jan?'

Punt deed of hij de vraag niet hoorde. Hij nam een slokje melk en zette het glas op tafel terug.

'Collega's,' sprak hij ernstig, 'hoofdluis is een taboe: veel ouders en kinderen met hoofdluis praten er liever niet over. Ze vinden het reuzemoeilijk om toe te geven dat ze luizen hebben.'

Op dat moment werd er geklopt.

Juf Gré opende de deur.

'O,' fluisterde een stem opgewonden, 'juffrouw Gré! U moet ik net hebben! Kan ik u even spreken? Onder vier ogen?'

Het team in de personeelskamer bleef doodstil. Nieuwsgierig luisterden de leraren mee. Ook Punt, die net deed of het gesprek hem niet aanging en braaf zijn melk dronk, was stiekem een en al oor.

'Natuurlijk, Reini…' zei juf Gré overdreven aardig. Ze verliet de personeelskamer en sloot zwijgend de deur.

Juf Jeltje verbrak meteen de stilte. 'Wat moet Reini Stuit met Gré?' vroeg ze zacht. 'Gré heeft toch geen Stuitje in de groep?'

'Nee,' mompelde meester Jos. 'Bram zit bij mij, Roosje bij jou en Cillie zit in groep acht...'

'Wat zal er zijn?' vroeg juf Jeltje zich hardop af.

Niemand antwoordde.

Vragend keek het team in de richting van Peter Jan Punt.

'Ja, jullie kijken mij aan,' zei hij kalm, 'maar ik weet het ook niet.'

Klang!

Punt schrok.

Achter hem sloeg iemand met kracht op de deurkruk. De deur van de personeelskamer zwaaide piepend open en het hoofd van juf Gré verscheen om het hoekje.

Ze was bezig een ski-jack aan te trekken en zei geïrriteerd: 'Noteer maar, Peter Jan! Groep zeven: hoofdluis. Marijn de Koning. Ik hoor het net. En Peter Jan, Reini Stuit en vier moeders willen je spreken. Ze wachten in de grote hal.'

10 Lieverdje en Moppie

'Jonnie, kom nou,' zei Berrie. 'Zet die hondjes terug. We moeten naar school. Het is hartstikke laat.'

Het was tussen de middag.

Berrie stond in de deuropening van de kamer en wachtte op zijn zusje en haar vriendinnetje Roos.

Dapper grietje, die Roos: ze was bij Jonnie op bezoek! Stiekem, want van haar moeder mocht ze dat niet!

De meisjes lagen voor de grote doos in de hoek van de kamer en speelden met de hondjes.

Waar zíjn moeder uithing, wist Berrie niet. Er lag een briefje toen hij uit school thuiskwam: DAG BER, MOET EFFE WEG. HAAL MAAR BROOT EN 4 PIETZAAS BIJ DE C 1000.

Berrie was meteen naar de supermarkt geracet.

Maar goed ook! Hij ontdekte het kaartje van zijn moeder. Het hing nog altijd aan het mededelingenbord: DAMES, UW HAAR KNIPEN? GOET EN GOETKOOP? KOM LANKS BIJ JESSICA. SMEDERIJ 12 (OOK HEEREN). Berrie schrok zich het apezuur! Niet alleen vanwege de taalfouten, maar vooral vanwege 'ook heeren'.

Hij had het kaartje verscheurd en ter plekke een nieuw geschreven: DAMES, UW HAAR KNIPPEN? GOED EN GOEDKOOP? SMEDERIJ 12.

'Jonnie! We hebben nog tien minuten! Kom op nou…!'

'Jahaa!' riep Jonnie. 'Schreeuw niet zo. Je lijkt papa wel.'

Papa?

Ik papa? dacht Berrie. Met afschuw dacht hij aan het geschreeuw tussen zijn ouders vannacht. Hun eerste ruzie in het nieuwe huis – het was vreselijk geweest. Er ging een stoel stuk. Kort daarna stapte zijn vader op de motor en reed midden in de nacht weg.

'Dag Lieverdje,' zei Jonnie teder. Ze kuste haar puppy, hield het Roos voor, die het beestje ook een zoentje gaf, en zette het diertje op de bodem van de doos.

Toen pakte ze het andere hondje. 'Dag Moppie...'

Berries geduld was op. Hij schoot op de meisjes af, bromde 'dag hondjes,' pakte Jonnie en Roos bij de hand en trok ze zachtjes mee naar buiten.

'Loop maar,' riep hij. 'Ik haal jullie wel in met de fiets.'

De meisjes gaven elkaar een hand en huppelden de tuin uit.

Berrie keek op zijn horloge: verdorie, zeven minuten voor halftwee! Zo laat was hij nog nooit van huis gegaan.

Hij duwde de keukendeur dicht, pakte de sleutel en draaide die om.

Op hetzelfde moment zag hij in huis, helemaal aan het eind van de gang, iets bewegen.

Er schoof een witte streep licht over de gangmuur.

De voordeur bewoog! Hij ging langzaam open en iemand stapte het halletje in. Wie was dat? Zijn moeder?

Ja...

Maar...

Vlug zakte Berrie door zijn knieën en gluurde om een hoekje door het keukenraam de gang in.

Ze was niet alleen. Er kwam nog iemand hun huis in. Een man!

Nee!

Berrie rilde. *Het was Henk, de geheime vriend van zijn moeder. Wat deed die hier? In het nieuwe huis?*

11 Reini Stuit wil actie

Op De Ploeg gaf de klok drie minuten voor halftwee aan.

De meesters en juffen snelden naar de klassen en vingen de kinderen op.

Peter Jan Punt was de enige in de personeelskamer. Hij wierp zijn lege melkkartonnetje geroutineerd in de prullenbak.

Tevreden tuurde hij in de kleine spiegel naast de deur, streek nog even door zijn prachtige haar en opende de personeelskamer.

In de hal wachtte inderdaad een groep moeders. Punt telde vijf vrouwen.

Oei, hij had vis gegeten! Hij moest iets aan zijn adem doen, voor hij de moeders te woord stond.

'Goedemiddag, dames!' groette hij meteen luid en vrolijk. 'Ik kom bij u, hoor!' Snel liep hij het personeelstoilet in en sloot de deur.

Slechte adem was altijd in je nadeel. Hij pakte zijn tandenborstel, deed er tandpasta op en begon verwoed te poetsen en te spoelen.

Daarna schraapte hij zijn tong schoon met zijn tongkrabber, spoot verfrissende pepermuntspray in zijn mondholte en trok uit gewoonte de wc door.

Hij opende de deur en liep met krachtige tred op de groep fluisterende moeders af. Hun gezichten stonden ernstig. Hij zag Gerardine Rozenburg, Angelique Terpstra, Hennie de Koning, Merel Moerdijk en Reini Stuit.

Reini Stuit draaide zich om. Ze was veruit de langste van het stel en torende boven iedereen uit. Haar spiedende ogen hielden alles op school zo scherp in de gaten, dat Punt ze stiekem weleens vergeleek met de periscoop van een duikboot.

'Peter Jan,' zei ze gespannen. 'We maken ons zorgen. Onze kinderen hebben hoofdluis en…'

'Reini…?' onderbrak Punt haar overdreven bezorgd. 'Echt waar? Jouw kinderen ook?'

'Ja,' zei ze zacht. 'Brammetje. Ik ontdekte het vanmorgen. Ik begrijp er niets van. Hij doucht elke dag.'

Peter Jan schudde zijn hoofd en richtte zich tot een van de overige dames: een kleine, goedverzorgde vrouw in een groen broekpak. Ze heette Merel Moerdijk. Ze was parttime directiesecretaresse en haar man was advocaat.

'Merel Moerdijk?' fluisterde Punt verbaasd 'Heus? Heeft Josien hoofdluis?'

Mevrouw Merel Moerdijk knipperde beteuterd met haar ogen. 'Ik vind het zo gênant, meneer Punt. Als u wist hoe schoon Josien op zichzelf is…'

Merel Moerdijk sloeg haar ogen bevallig neer en pakte de goudkleurige ketting vast die om haar hals hing.

'Ja, bijzonder vervelend, dames,' zei Punt begripvol. 'De school onderneemt onmiddellijk actie. Elk kind, let op, elk kind krijgt vandaag een antiluisbrief mee naar huis. Er staat precies in hoe ouders thuis de hoofdluis met het achtstappenplan te lijf moeten gaan.'

'Dat is niet genoeg!' zei Reini Stuit fel. Ze verschoot van kleur en keek Punt strijdvaardig aan.

Peter Jan Punt schrok. Wat had Reini Stuit ineens? Tegenspraak? Dat was hij van haar niet gewend.

'Reini..?' Hij glimlachte voorzichtig.

'Nee, Peter Jan,' herhaalde ze pinnig, 'een brief is niet genoeg! De meeste ouders nemen hoofdluis heus wel serieus en zullen daadwerkelijk iets ondernemen. Maar er hoeft maar één gezin te zijn, ja, één gezin dat niets aan de hoofdluis doet en we zitten nog maanden met de gebakken peren.'

Ja, dacht Punt. Ze heeft gelijk.

'Heb je een voorstel?' vroeg hij uitnodigend.

'Ja zeker!' reageerde Reini Stuit meteen. 'Er moet contróle komen! Elk kind moet op luis gecontroleerd worden. Hier en nu, op school!'

Op school? dacht Punt. Hier en nu…?

Het groepje dames knikte instemmend. Reini Stuit nam opnieuw het woord en betoogde dat er vanaf nu elke week twee keer controle in de klassen moest plaatsvinden. Dat ze de leerkrachten er niet mee wilde belasten, en dat zij met dit groepje moeders de luizencontrole op zich wilde nemen.

'Vlug,' hijgde Berrie.

Hij tilde Jonnie van het zadel en Roos van de bagagedrager.

Het hok stond vol fietsen. En de speelplaats was leeg.

Ze waren te laat: de kinderen zaten al in de klas.

Hij holde met de meisjes naar de dichtstbijzijnde ingang van de school en trok de tussendeur naar de grote hal open.

'Kunnen jullie zelf je klas vinden?' vroeg hij fluisterend.

De meisjes knikten.

'Ga dan maar gauw. Dag!'

Jonnie hield in. Ze draaide zich om en keek hem met zachte ogen aan.

'Je bent lief, Berrie.' Ze ging op haar tenen staan en tuitte haar lippen.

'Kusje...'

Berrie boog zich vlug naar haar over.

Daarna trok hij de zware deur verder open, liet de kleintjes voorgaan en stapte toen zelf de grote hal in.

Hij schrok zich te pletter.

Mozes! Daar stond de directeur met een hele groep moeders. Alle gezichten draaiden zich om en keken nieuwsgierig hun kant op.

'Rozemarijn!' riep een van de vrouwen verschrikt.

Ook dat nog: de moeder van Roos! Ze stapte met haar lange lijf op Roos af, trok het meisje van Jonnie weg en hurkte. 'Waar kom jij vandaan?'

Roosje haalde haar schouders op en zei niets.

'Waarom ben je niet in de klas?'

Weer bewoog Roosje haar schouders.

'Was je bij... haar, Rozemarijn? Bij dat... kindje?'

Roos bleef zwijgen.

Het gezicht van haar moeder begon rood aan te lopen.

'Toe, Roosje. Mama vraagt je iets. Geef eens netjes antwoord!'

De directeur kwam langzaam dichterbij. 'Rustig maar, Reini,' zei hij vriendelijk. 'Zal ik even...?'

Het schoolhoofd glimlachte naar Roos, knikte naar Jonnie en toen naar Berrie. 'Dag Berrie en Jonnie. Jullie zijn wel een beetje laat, zeg.

Hoe kan dat nou? Komen jullie nu pas van huis?'

'Jahaa!' zei Jonnie opgewekt. 'Want wij hebben twee hondjes. Ze hebben geen mama meer. Ze is dood.'

'Zo zo,' knikte de directeur. 'Nou nou. Dat is nogal wat: twee hondjes zonder mama. Rozemarijn? Heb jij de hondjes ook gezien?'

Roos knikte.

'En… Zijn ze lief?'

'Ja,' fluisterde Roos, 'heel lief.'

'Wat?' zei haar moeder, 'ben je daar binnen geweest?'

'Even maar,' zei Roos zacht, 'maar ik heb niet met Jonnie gespeeld. We gingen met de hondjes.' Het meisje stak een hand achter haar oor en begon te krabben.

'Wat is er?' vroeg haar moeder.

''k Wee niet,' zei Roos, ''t kriebelt.'

De moeder schoot overeind, onderzocht nerveus de haren van haar dochtertje en kreeg een kleur. Met grote ogen keek ze de directeur aan. 'Ik begin iets te vermoeden, Peter Jan. Ik denk dat ik weet waar "de beestjes" vandaan komen!'

Het groepje moeders kwam nieuwsgierig dichterbij.

'Ho ho,' zei de directeur, 'geen overhaaste conclusies, Reini. Het lijkt me verstandig om eerst alle kinderen te controleren.'

'Goed!' zei de moeder van Roos fel. Ze keek nors van Jonnie naar Berrie en snauwde: 'Ik begin meteen met die twee!'

'Ja,' viel een moeder uit het groepje haar verhit bij. 'Vanmiddag controleren we alle klassen. Hoe eerder, hoe…'

'Ho ho, dames!' onderbrak de meester snel. 'Stop! Dat gaat zomaar niet.'

Maar de moeder van Roos vond van wel. Resoluut stapte ze op Jonnie af en pakte haar doodleuk bij de haren beet. Berrie wist niet wat hij zag! Een oerdrift schoot door zijn aderen. Hij stoof naar voren en duwde de lange vrouw met een geweldige stoot tegen haar schouder bij Jonnie weg.

'Blijf van m'n zusje af!' schreeuwde hij.

Reini Stuit wankelde. Ze verloor haar evenwicht en zou zeker gevallen zijn als Peter Jan Punt haar niet snel bij de arm had gepakt en overeind had gehouden.

'Stop!' riep hij. Met gespreide armen ging de directeur tussen Berrie en de vrouw in staan. 'Stóp! Reini… Berrie… Stoppen! Allebei! Dit kan echt niet!'

Met gebalde vuisten wachtte Berrie af. Kom maar op, teef, dacht hij. Ik sla je helemaal aan gort. 'Dames, dames…' suste de directeur hoofdschuddend. Langzaam liet hij beide armen zakken. 'Kijk eens wat er gebeurt? U kunt toch niet ongevraagd en op eigen houtje andermans kinderen op hoofdluis gaan controleren? Ik begrijp uw zorg en haast, maar we zullen toch eerst alle ouders moeten informeren.'

Het groepje moeders staarde elkaar en toen de directeur zwijgend aan. Ze knikten, behalve Reini Stuit. Die veegde haar wangen droog en loerde met wraakzuchtige ogen naar Berrie. De directeur zag het niet.

'Berrie,' zei Punt plechtig, 'problemen los je op met praten, niet met je handen.'

'Zij begon,' gromde Berrie.

Het schoolhoofd keek hem secondelang aan en wendde zich toen tot de moeders.

'Neemt u allen even plaats in de personeelskamer. Dan bespreken we zo dadelijk in alle rust de details bij een kop thee. Akkoord?'

De kleine, keurige moeder met de lange goudkleurige ketting stak haar hand op. 'Mag ik nog wel wat zeggen, meneer Punt?' vroeg ze deftig.

Ze wees naar de kapstokken bij groep zeven. 'Heeft u die jassen daar gezien? Wat een chaos!'

De kaken van Punt trokken strak van ergernis. Op de vloer voor de klas van juf Ans slingerden vier jassen.

'Er komen twee mobiele kapstokken bij,' zei hij snel. 'Ze zijn besteld.'

'Ja, ziet u,' ging mevrouw Moerdijk met een hoog stemmetje verder, 'Jozias, sorry, mijn man, las op internet dat die "hoofdluisjes" zich op scholen voornamelijk via de jassen van de kids verspreiden. En dat schoolkapstokken als het ware snelwegen voor hoofdluis zijn…'

Nog diezelfde middag spurtte directeur Peter Jan Punt met een enorme stapel luizenbrieven de klassen in. De hele antiluisbehandeling stond er van a tot z in voor de ouders. En ook dat deze week alle kinderen op school door speciale luizenmoeders op luizen zouden worden gecontroleerd.

Daarna had Punt de schoolleverancier gebeld.

'Morgen moeten de kapstokken er zijn,' had hij geëist. 'Anders hoef ik ze niet.'

Die tut van een Merel Moerdijk kreeg niet nog eens de kans hem op de vingers te tikken.

De goede naam van De Ploeg stond op het spel! En niet alleen dat: ook zijn eigen naam.

12 Nacht zonder slaap

Het was elf uur 's avonds.

Peter Jan Punt lag in bed, maar hij sliep niet: telkens wanneer hij wegdommelde, begon er een irritant kriebeltje achter zijn oor. Hoe vaak en hoe hard hij ook krabde, het hielp niet. Het bleef maar jeuken.

O jee, dacht hij plotseling.

Punt was ineens klaarwakker.

Vlug knipte hij een lampje aan en hij inspecteerde nieuwsgierig en nauwgezet zijn kussen.

Wel verdraaid! Een dingetje…

Bewoog het? Ja, zag Punt geschrokken. Er kroop iets over zijn kussen: een grauwgrijs beestje, zo groot als een speldenknop. En daar nog een. En daar… Jakkes! Hoofdluis! Hier! In zijn bed! Ongelooflijk! Of hij wilde of niet: *hij had ze zelf!*

Mijn god!

Huiverend sprong Punt uit bed. Hij trok onmiddellijk de sloop van het kussen en rukte het beddengoed los. Met zijn kleren erbij gooide hij de hele boel in de wasmachine en sprong toen zelf met een grote fles shampoo onder een gloeiendhete douche.

Berrie sliep ook nog niet.

Hij piekerde.

Hij lag in bed, op zijn niet zo favoriete linkerzij. Het kon niet anders: zijn rechterbil gloeide door drie punaises.

De dingetjes lagen op zijn stoel toen hij vanmiddag te laat in de klas kwam. Ze hadden aardrijkskundeproefwerk, en door de haast waarmee hij was gaan zitten, had hij ze niet gezien. Hij zag bloed, toen hij ze een voor een uit zijn broek trok en stilletjes in zijn etui legde.

Thuis had hij er niet over gepraat. Ook niet over dat mens van Stuit. Er gebeurden die middag nog meer rare dingen: juf Gré hield hem constant in de gaten. Ze loerde naar hem en hield een pen vast. Als hij maar even opkeek om na te denken en aan zijn oor krabde, schreef ze iets op.

En ze smoesde met de directeur toen hij die luizenbrieven kwam brengen.

Berrie wist zeker dat ze het over hem hadden.

Maar dat was niet het ergste.

Marijn de Koning, de rustige jongen naast wie hij al heel lang zat, wilde vanmiddag ineens van plaats veranderen. Juf vond het meteen goed. Marijn mocht bij een ander groepje en nu zat Berrie alleen. Hij vroeg Marijn naar de reden, maar de jongen haalde alleen maar zijn schouders op.

Er gebeurde nog meer vervelends. Na school stond de banden van zijn fiets leeg: de ventielen waren eruit gedraaid. En toen hij met Jonnie lopend thuiskwam, was hun schutting volgekladderd: PAS OP! JEUK: HIER WONEN LUIZEN!!! En: KIJK UIT: FAMILIE LUIS IS THUIS!!!

Wie deed zoiets?

Bram, dat etterige broertje van Roos? Die woonde vlakbij. Hij zou het gedaan kunnen hebben. Maar waarom?

Ergens in huis klonk een brul.

Het gepieker van Berrie stopte. Hij gleed zijn bed uit en opende bezorgd de deur van de slaapkamer. Op de overloop brandde licht – Jonnie was ook wakker; ze stond met een angstig gezichtje in de deuropening van haar kamertje.

'O néé…?' bulderde iemand.

Het was de stem van zijn vader.

'WAT IS DIT DAN?'

Stilte.

'LIEG NIET, SLET! OF IK SLA JE HELEMAAL AAN GORT.'

Berrie zuchtte, het geschreeuw kwam van beneden. Zijn vader had weer een driftaanval. Wat zou er nu weer kapotgaan?

'NOU?'

Jonnie duwde haar handen op haar oren. Berrie wenkte haar; snel trippelde ze de overloop over en glipte zijn kamer in.

Plotseling rende iemand beneden de trap op. De treden kraakten en een wit bloot lijf schoot Berries deur voorbij. Wie was dat?

Zijn moeder!?

Jeetje, ze droeg enkel een rode string en witte puntlaarzen. Ze gooide de deur van de grote slaapkamer open en stoof naar binnen. Met grote schrikogen greep ze de deur, ze wilde hem dichtsmijten, maar *baf!* – ineens stond er een kanjer van een schoen op de drempel.

En niet alleen een schoen, daar was het hele imposante lijf van zijn vader.

Hij legde zijn behaarde rechter onderarm tegen de slaapkamerdeur en duwde.

'Ga weg!' krijste zijn moeder. 'Gorilla!' Ze hield de deur met twee handen tegen en probeerde met de punt van haar laars de stugge schoen van de drempel te trappen.

Ze had geen schijn van kans. Zijn vader gaf een brul en drukte haar met deur en al de slaapkamer in.

'Ga weg, varken!' gilde zijn moeder hysterisch.

Berrie zag haar het bed op vluchten. Met laarzen en al dook ze onder het dekbed en trok de stof beschermend op tot onder haar kin.

Hé? Wat zat daar ineens op haar schouder? Een tatoeage?

Zijn vader stapte de slaapkamer in; hij hield iets glimmends vast!

Een blikje? dacht Berrie. Bier? Dronk zijn vader weer?

Berrie keek eens goed. Nee! zag hij opgelucht. Geen bier, het was cola!

'Stop, gek!' huilde zijn moeder. Ze wees in de richting van de overloop en gilde: 'De kinderen!'

Berrie slikte. Hij stond nu midden op de overloop in het volle licht en staarde naar het panische gezicht van zijn moeder. Hij zag het plaatje op haar schouder nu beter. Het was inderdaad een tatoeage: een bloem. In de vorm van een hart!

Hij hoorde zijn vader hijgen, maar de man keek niet om.

'Dan zien ze maar alles,' gromde hij. 'Ik wil het weten, sloerie. Nu! Wanneer heb je die tatoeage laten zetten? Wie is die H? Zeg op, teef!'

Hij ging naast het bed staan en greep zijn vrouw bij de haren. Hij schudde wild met het blikje en spoot de sissende cola pardoes in haar gezicht. Ze hapte naar lucht.

'Wie is die H?' siste Berries vader.

Zijn moeder veegde het vocht uit haar ogen. 'Ga weg, slachter!'
Grommend zette zijn vader het blikje met de rand schuin tegen haar tatoeage en drukte. 'Zeg op!' brulde hij. 'Of ik snij 'm eruit en voer 'm beneden aan de honden!'

Berrie hield zijn adem in.

Stond er een H? Op die tatoeage van zijn moeder? Toch niet de H van Henk...? Haar geheime vriend?

'Nee!' gilde Jonnie ineens achter hem. 'Niet doen! Niet aan de hondjes!'

Zijn zusje vloog de overloop op en nam razendsnel de trap naar beneden.

Berrie aarzelde.

Wat moest hij doen?

Hier blijven? Zijn moeder tegen zijn vader beschermen?

Zeggen wie die H was? En dat hij die H vanmiddag in huis had gezien?

Berrie koos voor Jonnie en rende haar achterna.

Hij vond zijn zusje in de keuken, met de twee hondjes. Ze deed haar schoenen aan.

'Wat ga je doen?' fluisterde hij.

'Naar buiten!' zei ze. 'Met Lieverdje en Moppie! Kom je mee?'

Berrie keek verbaasd. 'Wat wil je dan?'

'Weg! Papa wil mama aan de hondjes voeren!'

13 Zonder afscheid

Jonnie gooide de buitendeur open, nam de beide hondjes in haar armen en wipte naar buiten.

Meteen woei een koude nachtwind de keuken in.

Berrie rilde.

'Jonnie!'

In haar dunne roze pyjama rende ze de achtertuin in.

'Wacht!' riep hij zacht.

Berrie schoot in zijn schoenen, greep twee jassen van de kapstok en holde zijn zusje achterna.

De tuin was leeg, de poort stond open. Waar was ze?

Hij dook de steeg in en tuurde rond. Het was er pikkedonker; enkel aan het eind van de steeg, vele tientallen meters verder, scheen wat licht.

'Jonnie?' fluisterde hij. 'Waar zit je?'

Gespannen wachtte Berrie af. Ergens uit de huizen achter hem klonken opgewonden stemmen. Allemachtig… wat een gekrijs! Waren dat zíjn ouders?

Berrie hield zijn adem in en luisterde.

'Vuile slet!'

'Zuiplap!'

Ja, dacht hij beschaamd. Dat waren zijn ouders.

Rillend stapte hij de duistere steeg in.

'Jonnie? Ik ben het, Berrie! Zeg eens wat!'

Berrie kneep zijn ogen tot spleetjes. Hij spitste zijn oren en wachtte af.

Opeens… links, niet ver van hem vandaan, in de donkere ruimte tussen de schuttingen, fluisterde een bang stemmetje: 'Berrie?'

Jonnie!

Vlug sloop Berrie in haar richting.

Ja.

Daar stond ze, klein en trillend tegen een schuurmuur, zachtjes snikkend met de twee hondjes dicht tegen haar aan.

'Ik ben bang.'

'Hoeft niet,' zei Berrie zacht. 'Hier, doe je jas aan. Geef mij de hondjes maar.'

Jonnie knikte. Ze gaf Berrie de hondjes, trok haar jas aan en nam de puppy's weer snel van hem over.

'Jonnie?' riep iemand plotseling door de nacht. 'Berrie?'

Ze schrokken.

Het was de stem van hun vader. Helder en dichtbij, ergens in de buurt van hun tuin.

'Hij wil de hondjes,' snikte Jonnie. 'Hij wil mama aan ze voeren!'

We moeten hier weg, dacht Berrie.

'Geef ze maar!' fluisterde hij gehaast.

Hij greep de puppy's beet, maar Jonnie begon te gillen. 'Nee! Nee!'

Berrie stopte abrupt. 'Stil…' siste hij geschrokken.

'Jonnie?' klonk het weer.

Ineens dook Jonnie met de hondjes langs Berrie en ze holde zo snel als ze kon de steeg in. Berrie volgde haar op de voet. Ze passeerden een poort en hoorden de metalen deurkruk klikken. Van schrik struikelde Jonnie; Berrie schoot naar voren en greep zijn zusje bij haar oksels. Hij tilde haar op en droeg haar met hondjes en al naar het einde van de steeg, waar om de hoek dichte struiken en bomen groeiden.

Ze verstopten zich tussen de struiken en hielden zich stil.

'Jonnie? Berrie?'

In het licht van de lantaarnpaal kwam iemand de steeg uit. Het was hun vader. Zijn gezicht glom van het zweet. Hij speurde met wilde ogen de omgeving af en tuurde ten slotte in de richting van de struiken.

'Jongens?'

Zijn stem klonk nu zacht, bijna smekend. 'Toe nou, kom terug. Kom bij papa.'

Langzaam liep hij in hun richting.

'Jonnie? Berrie? Alsjeblieft. Papa moet wat zeggen…'

Berrie en Jonnie verroerden zich niet. Verbijsterd loerden ze naar hun grote sterke vader, die zich langzaam omdraaide en snikkend met schokkende schouders wegslofte. Zo hadden ze hem nog nooit gezien! Hij zakte neer op de tegels naast de ingang van de steeg en huilde zonder geluid.

Berrie begreep er niets van.

Huilt-ie om ons? vroeg hij zich af. Of om iets anders? Is er in huis soms iets gebeurd? Iets met mama? Iets ergs…

'Wat is er?' riep hij zonder zich te laten zien.

Zijn vader keek op.

'Berrie?' vroeg hij met verstikte stem. Hij maakte aanstalten om overeind te komen.

'Blijf zitten,' riep Berrie snel.

Zijn vader aarzelde, mompelde 'oké, oké' en plofte terug op de tegels. 'Jonnie…?' vroeg hij hees.

'Die is bij mij,' zei Berrie.

'Ga weg,' gilde Jonnie, 'gemene papa!'

Hun vader sloeg een hand voor zijn ogen en zijn lijf schokte.

'O, jongens,' snikte hij. 'Ik moet wat zeggen.'

Langzaam kwam Berrie tussen de struiken overeind, hij bleef staan en staarde secondelang naar zijn huilende vader. Angst voor de man voelde hij niet meer. 'Wat is er?'

Zijn vader keek op. Toen hij Berrie ontdekte, viel zijn mond een stukje open en hij fluisterde: 'Jullie moeder…'

Twintig minuten later zaten Berrie en Jonnie met de hondjes als verdoofd op de vierzitter in de kamer. Het glas sap dat hun vader hun gaf, dronken ze zwijgend leeg. Beneden en boven in huis was het doodstil, maar in Berries hoofd gonsde en spookte het: *hun moeder was ervandoor.* Met twee tassen kleren, in een taxi. Ze ging bij Henk wonen. Zomaar! Zonder afscheid te nemen! Alsof Berrie en Jonnie niet bestonden…

14 Punt heeft jeuk

Het was halfacht in de morgen.

Peter Jan Punt zat in zijn eentje in de directiekamer van de lege school, met de telefoon in zijn hand.

'Nee, mevrouw Gorter,' zei hij zo geduldig mogelijk.

...

'Het is niemands schuld. Ik noteer: Lars en Meike hoofdluis.'

...

'Heel fijn! Heel erg bedankt voor het doorgeven...'

...

'Wat zegt u?'

...

'Nee...'

...

'Nee nee, ik maak geen grapje. Met doorgeven bedoel ik iets anders. Geeft niet, misverstand.'

...

'Ja hoor, die lotion werkt echt. Controleert u Lars en Meike elke dag met de netenkam? En veertien dagen lang?'

...

'Nee, de spullen moet u zelf kopen. Die krijgt u niet van school.'

...

'Dag, mevrouw Gorter.'

Punt legde de telefoon neer en voegde gapend twee namen aan de lijst van nieuwe hoofdluisgevallen toe. Zijn brief had effect!

Veertien nieuwe luismeldingen had hij binnen: tien op de voicemail en vier rechtstreeks vanmorgen!

Hij rilde, gaapte opnieuw en wreef zich zo onopvallend mogelijk stevig achter de oren. Mijn god, begon het jeuken weer?

Dat kon toch niet! Hij had vannacht een úúr lang zijn haren staan wassen!

Nog harder duwde Punt op de plaats van de kriebel.

Kon je een luis dooddrukken?

Weer ging de telefoon.

'Goedemorgen,' zei hij zo opgewekt mogelijk. 'De Ploeg. U spreekt met Peter Jan Punt.'

…

'Hoofdluis? Wie?'

…

'Jelle, Nanne, en Mees? Ik zet ze op de lijst.'

…

'Ja, heel lastig. Ik weet er alles… eh… ik hoor het van iedereen.'

…

'Ja, vandaag beginnen! Dus… op naar de drogist.'

Peter Jan Punt noteerde de nieuwe namen en probeerde intussen met krachtige vingerdruk de jeuk te verdrijven. Grote genade, wat een irritant gekriebel. Wat gebeurde er allemaal op zijn hoofd? Kropen er nieuwe larven uit de eitjes? En zogen ze zich nu hongerig vol met bloed?

Achter de rug van Punt schoof zachtjes de deur van de directiekamer open. Een klein iemand schuifelde zonder geluid naar binnen. Het was juf Jeltje. Ze hield iets vast waar de damp van af sloeg en gluurde over de schouder van het schoolhoofd naar de lijst op het bureau. Stiekem stak ze het topje van haar rechterwijsvinger in de weelderige haardos van Punt en kietelde.

Peter Jan schrok zich een beroerte.

Wat was dat?

Een reuzenluis…?

Getergd sloeg hij naar de plek van de reuzenjeuk en begon hard te wrijven.

'Koffie?' klonk het giechelend achter hem.

Koffie?

Verrast draaide Peter Jan Punt zich om.

Jeltje?

Met koffie! Ze had geen beter moment kunnen kiezen. Dankbaar pakte hij de mok met koffie van haar aan en nam een slok.

'Kanonnen,' verzuchtte juf Jeltje, 'die luizenlijst wordt alsmaar langer en langer. Wie heeft ze eigenlijk niet op school?' Punt gaf geen antwoord. Hij verstarde: een gemene kriebel kwam nu ook in zijn nek opzetten. Hij wilde krabben, maar bedwong zich op tijd. Collega Jeltje mocht niets merken. Stel je voor: hij, Peter Jan Punt, directeur van De Ploeg, hoofdluis! Geen sprake van!

In plaats van te krabben spande Punt zijn teenspieren en probeerde hij de kriebel te negeren.

'Ja,' antwoordde hij met afgemeten stem, 'maar als we het goed aanpakken, zijn we er binnen een maand vanaf.'

Juf Jeltje schudde haar hoofd. Bezorgd fluisterde ze: 'Er gaat een roddel, weet je dat? Een groep moeders uit mijn klas verdenkt dat nieuwe gezin van de besmetting. Want de hoofdluis begon, zeggen ze, een week nadat Jonnie en Berrie op school waren gekomen.'

Peter Jan Punt kuchte.

De jeuk in zijn nek was van een ongelooflijke hevigheid.

Met verkrampte kaken vroeg hij: 'Krabt Jonnie weleens op haar hoofd?'

'Nee,' zei juf Jeltje, 'dat is me nooit opgevallen.'

Ineens schoot Punt overeind. Hij hield het niet meer, hij werd gek van de jeuk. Hij legde een hand in zijn nek en begon de huid krachtig te masseren.

'Wat is er?' vroeg juf Jeltje. 'Stijve nek?'

'Ja.' Punt knikte, intens wrijvend. 'Zeker verkeerd gelegen, vannacht.'

'Zal ik je even masseren?' vroeg Jeltje.

'Nee, nee,' weerde Punt snel af. 'Het gaat alweer. Dank je.'

De jeuk zwakte inderdaad af. Had hij een paar luizen doodgemasseerd?

Wat een verademing!

'Haar broer Berrie,' ging Punt verder, 'die heeft ze waarschijnlijk wel. Collega Gré zag hem gistermiddag voortdurend achter een oor krabben. Ik zet de jongen ook maar op de lijst. Met een vraagteken.'

Juf Jeltje wierp haar blonde haar naar achteren, zette haar vingers boven een oor en begon hevig… te krábben?

Nee maar! dacht Punt. 'Maak je een grapje?' vroeg hij aarzelend. 'Of…?'

Juf Jeltje rilde. 'Nee joh,' fluisterde ze, 'ik heb ze ook! Gisteravond ontdekt.' Ze trok een vies gezicht en klauwde stevig over haar hoofdhuid.

'Zet me maar op de lijst,' zei ze, terwijl ze zuur glimlachte. 'Ik ga tussen de middag meteen naar de drogist, een spulletje kopen. En een netenkam.'

Punt knikte instemmend. 'Haal voor mij ook maar zo'n fles en zo'n kam.'

Juf Jeltje keek hem onderzoekend aan. 'Wat?' vroeg ze zacht. 'Heb jij ze ook?'

'Ik?' lachte Punt gespeeld. 'Welnee!

Ze zijn voor school,' loog hij joviaal. 'Ik etaleer ze op een mooi antiluizentafeltje in de grote hal. Dat stimuleert anderen. En ik zal er een foto van maken. Voor op de website.'

Juf Jeltje zuchtte. 'Wat een gedoe! Wanneer beginnen die luizenmoeders met controleren?

15 De luizenmoeders

Die ochtend kwamen de luizenmoeders voor het eerst in actie.

Met lede ogen zag Peter Jan Punt ze in de hal van zijn school verzamelen.

De moeders hadden witte hoofdkapjes opgezet en droegen lange groene schorten en plastic handschoenen. Ze wensten elkaar 'goede jacht!' en verdeelden zich over de school. Strijdvaardig marcheerden ze in tweetallen de klassen in.

'Ik wil jullie niet horen,' waarschuwde juf Gré groep zeven. 'Jullie werken tijdens de controle gewoon door. Wie flauwe opmerkingen maakt, blijft na.'

Giechelend en grijnzend ging de klas aan het werk.

Berrie probeerde te rekenen. Het lukte voor geen meter: de gebeurtenissen van vannacht maalden door zijn hoofd.

En nu stond ook nog dat mens van Stuit voor het bord! Samen met een andere vrouw. De twee zagen er belachelijk uit, ze leken zo weggelopen uit de operatiekamer.

'Femke?' zei Reini Stuit overdreven vriendelijk.

'Trevor?'

Het controleren ging gelukkig snel, zag Berrie. En dat niet Reini Stuit, maar die andere moeder tussen je haren keek, vond hij ook wel prettig. Stuit moest beslist niet aan hem komen...

'Marijn?' zei ze. Ze hield een lijst vast en maakte er na elke controle korte notities op.

'Desiree?'

Berrie gluurde naar de juf. Ze zat loerend achter haar bureau en dronk koffie uit haar Donald Duck-mok.

'Berrie?' klonk het ineens scherp.

Koel en onbewogen keek Reini Stuit hem aan.

Zonder geluid te maken schoof Berrie van zijn stoel en hij slenterde naar voren. Links en rechts stopten kinderen met werken, ze gingen rechtop zitten en keken hem uitdagend aan.

Waarom deden ze dat?

Dachten ze soms dat hij luizen had?

Ook de ogen van mevrouw Stuit priemden, maar Berrie deed of haar niet zag.

Kalm ging hij voor de andere moeder staan en wachtte af.

De controle begon.

Gehandschoende vingers duwden het haar rond zijn rechteroor omhoog; hij voelde het hoofd van de luizenmoeder dichterbij komen. Hij hoorde haar in- en uitademen en merkte hoe ze plukje voor plukje inspecteerde.

De vingers daalden af naar het haar in zijn nek en zochten en zochten, minutieus en secondelang. Ze controleerden de begroeiing rond en achter zijn linkeroor en toen tussen de pony op zijn voorhoofd.

De vingers stopten en verdwenen van zijn hoofd. Was hij klaar?

Berrie wachtte af.

Achter zijn rug begonnen de moeders te smoezen.

'Ben ik klaar?' vroeg hij zacht.

'Nog niet,' zei Reini Stuit pinnig. Plotseling voelde Berrie opnieuw vingers in het haar achter zijn rechteroor; dit keer ruw en hard. Wie controleerde er nu? Hij draaide zich half om en keek Stuit, die diep voorovergebogen aan zijn haar frunnikte, recht in de ogen!

'Vooruit,' zei ze bits. 'Kijk voor je. Nacontrole!' Om haar woorden kracht bij te zetten, gaf ze hem een venijnig duwtje tegen zijn hoofd.

Berrie verstijfde.

Wát deed ze daar!

Hoe durfde ze!

Een wilde woede kolkte door zijn lijf; hij balde zijn handen tot keiharde vuisten, haalde diep adem en...

'Donder op...!' brulde hij uit alle macht.

Reini Stuit schrok geweldig. Het lange mens schoot overeind, staarde hem woedend aan en trok beledigd haar handen van zijn hoofd.

De klas giechelde.

'Berrie!' riep de juf streng. 'Wat heeft dit te betekenen? Gedraag je! En jullie... Stil! Aan je werk!'

Vanuit zijn ooghoeken zag Berrie de juf uit haar stoel opstaan en zijn kant op komen. Ze ging achter hem bij de twee moeders staan en vroeg fluisterzacht, maar hard genoeg voor Berries oren: 'Heeft-ie ze?'

Berrie spitste zijn oren, maar het antwoord van Reini Stuit was zo zacht dat hij het onmogelijk kon horen.

16 Het gevecht

Kort daarna was het pauze en Berrie stond, gapend, in de drukte op het schoolplein. Het was fris buiten.

Afwezig staarde hij naar de spelende en gillende kinderen. Net toen hij een beetje wegdroomde, voelde hij ineens een fel tikje. *Tak*, boven op zijn achterhoofd. Hè?

Geschrokken keek hij om. Hij wreef over de pijnlijke plek en zag een jongen grijnzend wegrennen.

'Kappen, hè?' riep Berrie hem dreigend na.

Tak! Kreeg hij weer een tik? Verbaasd draaide hij zich de andere kant op en tuurde naar de spelende kinderen. Wie was het?

Daar stond de dader!

Het kon niet missen: Brammetje! Met zijn uitgestreken smoel. En drie, vier andere jochies naast hem.

'Hé, Berrie hoofdluis,' riepen ze uitdagend. Ze staken hun armen zwaaiend in de lucht en zongen heupwiegend in koor: 'Ber-rie hoofd-luis! Ber-rie hoofd-luis!'

Berrie aarzelde en loerde om zich heen. Wat moest hij doen? Tegen een muur gaan staan? Dan konden ze hem tenminste niet van achteren besluipen. Of ze een vette ram verkopen? Helemaal aan de overkant van het plein liep de meester van groep zes.

Tak! Voor de derde keer gaf iemand hem een tik van achteren.

Het groepje van Bram juichte. 'Raak!' joelden de knulletjes zacht. 'Weer een luis minder! Ber-rie hoofd-luis! Ber-rie hoofd-luis!'

Ineens was Berrie klaarwakker. Woede en drift stegen naar zijn hoofd en zetten zijn spieren op scherp. Toen hij de vierde tik voelde aankomen, draaide hij zich vliegensvlug om en gaf in dezelfde beweging een snoeiharde trap.

Baf! Zo, die was raak, en goed ook. De treiterkop gaf een brul en strompelde gillend weg.

Plotseling sloeg iemand een arm om Berries keel en trok hem naar de grond.

'Grijp hem!' brulde een stem. Berrie hapte naar lucht, hij spande zijn elleboog en gaf er een geweldige beuk mee. *Dof!* De aanvaller kreunde en liet los. Hijgend keek Berrie om. Van drie kanten kwamen de jochies nu aanzetten. De een schopte tegen zijn been en de ander stompte hem in zijn rug.

Om hen heen ontstond langzaam een kring van toeschouwers. 'Hup Bram-me-tje!' riepen sommigen. 'Hup Bram-me-tje!'

Berrie raakte door het dolle heen. Hij wachtte de jongens niet meer op, hij ging in de tegenaanval. Het kon hem niets meer schelen: zo hard mogelijk sloeg hij terug. *Pats*, gericht met zijn vuist, midden in een gezicht. *Baf*, bij een ander, boven op een neus. Zijn hand deed er pijn van.

Bram huilde, bloed stroomde uit zijn neus.

'Hé, kan je wel tegen kleintjes?' zei iemand met een bromstem. Berrie keek op. Het was een jongen uit groep acht. Hij stak boven iedereen uit en zat onder de puisten. 'Moet je tegen mij beginnen!' De slungel stapte de kring in en gaf Berrie meteen een stoot tegen zijn schouder.

Even verloor Berrie zijn evenwicht, maar hij kon zich herstellen en bleef op de been. De achtstegroeper grijnsde naar een paar klasgenoten en ging uitdagend voor Berrie staan. 'Kom maar op, sukkeltje.'

Berrie aarzelde niet. Hij sprong omhoog en gaf de slungel een onvervalste kopstoot, precies onder zijn kin.

Tjak!

De jongen sloeg achterover en klapte languit op de tegels.

'Ohhh...' mompelde de kring kinderen verschrikt.

Berrie trilde.

Door zijn hoofd trok een bonzende pijn en zijn hart klopte tot in zijn oren.

'Stoppen!' brulde een zware stem.

Eindelijk, de meester! De man drong zich nerveus door de haag van kinderen heen en pakte Berrie vast. 'Ophouden. En wel onmiddellijk! Zijn jullie helemaal beduveld. Is er niet al genoeg geweld op de wereld? Naar binnen, jullie! Stelletje vechtersbazen.'

Op dat moment pauzeerden Peter Jan Punt en zijn team in de perso-neelskamer van de school. De luizenmoeders hadden ook pauze: ze zaten bij elkaar rond een tafel in de grote hal en bespraken fluisterend hun ervaringen bij een kop koffie.

Punt begon net aan zijn tweede kop koffie toen er in de hal opgewon-den kreten klonken. De collega's hoorden het ook, maar niemand maak-te aanstalten om te gaan kijken.

Haastig zette Punt de volle kop op het schoteltje, hij stond op en ver-liet de personeelskamer. In zijn nek voelde hij weer jeuk, maar die negeerde hij.

'Vort, naar binnen!' brulde ergens een boze stem.

Het eerste wat Punt zag, was de groep luizenmoeders.

De dames stonden als versteend naast hun stoelen in de grote hal en staarden verschrikt naar de ingang van de school. Wat was er aan de hand?

Punt zag Reini Stuit. Ze stond met schort en al gebogen bij haar zoon Bram en veegde met een zakdoek over zijn gezicht. De jongen snikte; hij had een bloedneus! Zijn jas zat onder de rode vlekken. Duncan en Bas stonden er ook bij. Ook zesdegroepers! De jongens hadden pijn. Ze kreunden zacht en wreven over hun benen en schouders.

Van buiten klonk luid de opgewonden bromstem van collega Jos. De tussendeur zwaaide open en nog drie leerlingen strompelden een voor een de school in. De voorste twee waren Pepijn en Jasper, ook uit groep zes. De een hinkte en de ander klemde beide armen om zijn borst. De jongen slaakte benauwde pijnkreetjes en ademde met korte diepe halen.

Met de derde knul ging het ook niet best. O jee, het was Jan Diederik uit groep acht. De enige zoon van Merel Moerdijk. De lange jongen slof-te voorovergebogen naar binnen met een hand op zijn stuitje en brulde van de pijn.

'Jan Diederik!' riep Merel Moerdijk paniekerig en holde naar haar zoon.

Allemachtig, wat was er op het plein gebeurd? Een veldslag?

Peter Jan Punt stond zich te verbijten.

Dit was bepaald geen reclame voor zijn school!

Had collega Jos dit niet kunnen voorkomen?

Bij de ingang verscheen opnieuw een jongen. Zo te zien mankeerde hem niets: de knul liep rechtop en kreunde niet. Met zachte hand duwde collega Jos het ventje naar binnen.

'De heren waren aan het vechten,' riep hij naar Peter Jan Punt. 'Met deze meneer.'

De meester wees naar de jongen, die als laatste de grote hal binnen was gestapt.

Punt schrok.

Het was Berrie.

17 De ouders pikken het niet

'Dit is de druppel, Peter Jan!' brieste Reini Stuit. 'We laten onze kinderen geen bloedneus slaan! Wat krijgen we nou? De school hoort veiligheid te bieden!'

Samen met Merel Moerdijk en de overige luizenmoeders had ze Punt opgewacht in zijn directiekamer. Punt had een tijdlang met de vechtersbazen gesproken en ze in de hal aan een opdracht gezet.

Zachtjes sloot hij de deur van de directiekamer.

Hij wees de dames allemaal een stoel en ging zelf ook zitten.

Hij probeerde rustig over te komen, maar zijn rechterbeen trilde. Een slecht teken. De jeuk op zijn hoofd was ook weer helemaal terug. Heremijntijd! Hoeveel luizen zou hij inmiddels hebben? 64? 128?

Punt voelde ze lopen.

Was het te zien dat hij ze had?

'Peter Jan,' ging Reini Stuit verder, 'ik heb lang mijn mond gehouden, maar nu moet je het maar horen...'

Punt sloeg zijn armen over elkaar.

'Weet je wel uit wat voor gezin die Berrie komt?' vroeg ze fel. 'De moeder is prostituee! Ze ontvangt mannen aan huis! Dat heb ik zelf gezien.'

Prostituee? Peter Jan Punt trok een wenkbrauw op.

Reini Stuit ratelde verder. 'En als mevrouw niet plat ligt, knipt ze haren, want mevrouw heeft een kapsalon aan huis! Een kapsalon. Laat me niet lachen: een luizenkwekerij! En die man van haar drinkt; hij zet de hele buurt op stelten. Is het niet met een motor, dan wel met zijn geschreeuw. Hij slaat en gooit stoelen stuk. En nog veel erger, hij mishandelt zijn kinderen. Die zijn zo bang voor hem – ze liepen vannacht buiten. Met die hondjes van ze. Ze waren gewoon op de vlucht voor die man. Die Berrie zit niet voor niets vol agressie. Het joch kan er misschien niets aan doen met zulke asociale ouders, maar onze kinderen hoeven daar niet de dupe van te worden.'

Punt onderbrak haar: 'Berrie zei daarnet dat hij het gevecht niet begonnen was. De jongens hadden hem onder leiding van Bram uitgedaagd en "Berrie hoofdluis" gezongen. De jongen zei dat hij nog nooit jeuk op zijn hoofd heeft gehad.'

De ogen van Reini Stuit schoten vuur.

'En dat gelóóf jij?' beet ze Punt toe. Ze haalde een pakket papier te voorschijn en wierp dat op zijn bureau.

'Kijk die lijsten maar na! Dan kun je zelf zien wie er hier op school hoofdluis heeft en wie niet! Dit gezin is een geval voor de Kinderbescherming!'

Punt dacht na en knikte.

'Ik begrijp uw woede,' zei hij zacht. 'Ik beloof u dat ik vanmiddag nog bij het gezin op huisbezoek ga.'

Die middag trok Peter Jan Punt net voor het uitgaan van de school zijn jas aan. Hij ging op huisbezoek bij Berrie en Jonnie. Onaangekondigd…!

Punt prikte een verklarend briefje voor zijn afwezigheid op het bord, pakte zijn tas met de leerlingenlijsten en liep naar een tafel in de grote hal.

Kijk, van collega Jeltje kon je op aan. Ze had de bestrijdingsmiddelen keurig op een kleed geëtaleerd. Hij bekeek het etiket op de fles en gruwde: drie grote hoofdluizen staarden hem met scherpe tandjes lachend aan. Onmiddellijk nam het gekriebel op zijn hoofd in alle hevigheid toe. Peter Jan rilde. Die jeuk was om gek van te worden!

In een vlaag van wanhoop liet hij de fles met antiluislotion in zijn jaszak glijden. Hij griste de gloednieuwe netenkam van het tafeltje en verliet met grote stappen het gebouw.

De parkeerplaats waar zijn auto stond, lag achter de school. Peter Jan opende het portier van zijn wagen en voelde ineens iets zwaars op zijn schouder.

'Heeft u even, meneer Punt?'

Geschrokken draaide Peter Jan om. Uit het open raam van de auto naast hem stak een arm. Twee heren keken hem vanuit de wagen koel aan. Beiden rookten een filtersigaret, ze hadden gel in hun haar en droegen elk een kostuum. Peter Jan kende ze. Het waren vaders van school! De een was de vader van Pepijn en de ander van Jasper. 'Ik heb nu een dringende afspraak, heren,' zei Punt. 'Komt u morgen even bij me langs.' De vaders zeiden niets en keken elkaar aan. Plotseling gooiden ze het portier van hun auto open, stapten uit en kwamen zo dicht bij Peter Jan staan dat hij onmogelijk zijn auto in kon. Peter Jan Punt huiverde: de stinkende walm die de heren verspreidden, was een mix van sigarettenlucht, alcohol en goedkope deodorant.

'Wat is dat voor een zootje op school, meneer Punt,' zei de een. 'Wie heeft dat tuig binnengehaald? U…?'

Peter Jan Punt zei niets.

'Die lichtekooi moet oprotten!' bromde de ander. 'Met d'r luis en d'r agressieve zoontje. We pikken dit niet! Weg ermee. En u gaat daarvoor zorgen, meneer Punt. Zo niet, dan weten wij wel een paar manieren…'

Het begon zachtjes te regenen.

18 Waar zijn de jassen?

In school zocht Berrie zijn jas.

Het was al tien voor vier, en het regende.

Hij hurkte voor de nieuwe kapstok en stak voor de tweede keer een hand in de ruimte tussen de onderste plank en de vloer.

Niets.

Zuchtend duwde hij de deur naar de wc's open en controleerde nog maar eens de prullenbakken. Niets. Hij liep verder de school in, zocht bij de kapstokken van de andere groepen en wierp een blik in elke doos, bak of kist die hij zag. Niets.

Hij zocht achter de radiatoren van de verwarming in de gangen en bij het kopieerapparaat.

Geen jas.

Nijdig liep hij naar de klas terug. Het was al stil in school; hier en daar stonden nog wat kinderen. Toen hij hen passeerde, werden ze stil en ze staarden hem aan. Twee meisjes ontweken hem met een bochtje.

'Juf?'

'Ja?'

'Mijn jas hangt er niet.'

Juf Gré zat aan haar bureau achter een enorme stapel schriften. Ze was de enige in de klas. Ze at met veel gekraak een appel en zette met een pen strepen in een schrift.

'Heb je goed gekeken?' mompelde ze korzelig.

Berrie knikte. 'Ik heb overal gezocht.'

'Ook in de prullenbakken?' vroeg ze.

Berrie knikte.

'En achter de verwarming?'

Weer knikte Berrie.

'En in de papierkast onder het kopieerapparaat?'

'Daar ook,' zei Berrie zacht.

'En in de verkleedkist van groep vijf?'

'Heb ik ook gekeken.'

'Tja,' zei juf Gré ongeduldig, 'dan weet ik het ook niet, hoor.' Ze keek in het schrift en begon weer ijverig strepen te zetten. 'Had je wel een jas aan?' mompelde ze, zonder Berrie aan te kijken.

'Ja,' antwoordde Berrie. 'Hij is net nieuw.'

Er viel een stilte.

Juf Gré zuchtte. 'Heb ik dat?' hoorde hij haar puffen.

Berrie wachtte af.

'Nou…?' vroeg ze ineens, op het snauwerige af. 'Waar sta je op te wachten? Zoek nog maar een keer.'

Verbaasd en teleurgesteld keek Berrie haar aan. Van zijn juf kon hij geen hulp verwachten. Dat was wel duidelijk.

Plotseling voelde hij een paar rukjes, laag, onder aan zijn trui. Verwonderd draaide hij zich om.

Het was Jonnie: ze stond achter hem en fluisterde verdrietig dat ze haar jas niet kon vinden. Ze had heel lang gezocht, samen met juf Jeltje.

Ze ging op haar tenen staan en zei heel zacht dat ze nat was en dat ze gauw naar huis wilde. Naar Lieverdje. En Moppie.

Was haar nieuwe jas ook weg?

Berrie slikte en tuurde de grote hal in.

Daar stonden ze dan, hij en zijn zusje, zonder hun jassen in een vijandige school.

Hij slikte opnieuw. Hij had zich de hele dag flink gehouden, maar nu moest hij vechten tegen de tranen. Kloothommels! De tering konden ze krijgen! En juf Gré helemaal!

Snel beet hij zijn kiezen op elkaar, pakte Jonnie bij een hand en nam haar mee de school uit.

Buiten was het guur weer geworden, het regende flink en een koude wind woei over het lege plein. Zijn fiets was de enige in het hok. Berrie versnelde zijn pas. De banden! Waren ze nog hard?

Nee.

Ze stonden leeg. De ventielen waren weg.

De smeerlappen!

'We moeten lopen,' zei hij met ingehouden woede.

'Waarom?'

Berrie wees naar de banden.

Jonnie rilde. 'Alweer?' vroeg ze.

Berrie knikte.

Vlug trok hij de onbruikbare fiets uit het rek en begon te lopen.

Ze hadden wind tegen. Ook dat nog. Striemend sloeg de regen in hun gezicht.

'Kom achter me lopen,' riep Berrie. 'Dan voel je de wind niet zo.'

Jonnie knikte. Ze blies een paar druppels van haar neus en pakte de bagagedrager.

Berrie boog zich voorover en duwde de fiets een lange, natte straat in. Hij huiverde; zijn trui lekte door. Hij voelde de kou in zijn schouders trekken. 'Gaat het?'

Hoestend staarde Jonnie hem aan. Ze zag eruit als een verzopen katje.

Vuile kloothommels!

Berrie ging nog wat sneller lopen.

Aan het eind van de straat sloegen ze de bocht om, ze staken een weg over en liepen het park in.

Ze passeerden de vijver en Berrie duwde zijn fiets de gladde houten brug op. In een flits zag hij beneden iets in het water drijven.

Een vuilniszak?

Nee…

Shit!

Een mouw!

Het leek wel een jas.

Berrie hield in. Hij stond midden op de brug en tuurde ongelovig over de reling: het ding was groen.

Dreef daar soms… Dat kon toch niet?!

Vlak ernaast dreef nog wat: er stak iets blauws uit het water. Nog een mouw!

Het windjack van Jonnie!

Mozes!

Daar dreven hun jassen!

De smeerlappen! De hufters!

'Onze jassen, Jonnie! Daar…' zei hij mismoedig.

Zijn zusje knipperde met haar ogen. Ze wreef de regen eruit en gluurde tussen de houten balken van de reling de vijver in. Ze keek secondelang naar de jassen, draaide zich langzaam om naar Berrie en staarde hem aan. Haar lipjes trilden en zonder geluid begon ze huilen.

'Stil maar,' troostte Berrie. 'Ik haal ze er wel uit. Zeg maar niets tegen papa.' Woedend speurde hij de omgeving af.

'LAFAARDS!' brulde hij. 'VUILE GORE LAFAARDS!'

'Zie je ze?' vroeg Jonnie.

'Nee,' verzuchtte Berrie. 'Blijf bij de fiets. Als ze eraan komen, ga je schreeuwen. Oké?'

Jonnie knikte. Berrie kwakte de fiets tegen de reling en stak rillend de brug over.

Niets aan hem was meer droog, zelfs zijn sokken sopten.

Aan het eind van de brug stapte hij het hoge plantsoen in en bij een struik brak hij een lange tak af. Met de tak in zijn hand glibberde hij langzaam over de spekgladde klei in de richting van het lagergelegen water. Op de oeverrand bleef hij staan.

Hij had geluk: de tak was lang genoeg.

Een voor een sleepte hij de jassen naar de kant en trok ze uit het water.

19 Punt gaat op huisbezoek

Het was kwart over vijf en al aardig donker.

Het regende nog steeds.

Peter Jan Punt reed een straat in, tuurde tussen de ruitenwissers naar de huisnummers die hier en daar verlicht werden door een buitenlamp en parkeerde zijn wagen. Een ogenblik staarde hij voor zich uit. Hij was bekaf en trilde.

Wat een dag! En wat een vreselijke kerels, die vaders van Pepijn en Jasper.

Punt haalde diep adem en tuurde in de binnenspiegel; zijn haren waren vet en plakkerig. Een zweetparel rolde over zijn voorhoofd en loste op in een wenkbrauw.

Hadden de ouders gelijk? vroeg hij zich vertwijfeld af.

Was dit probleemgezin werkelijk de oorzaak van de luizenplaag op school?

En die Jessica, de moeder van Berrie en Jonnie? Speelde de vrouw écht voor... En wist haar man daarvan?

Peter Jan Punt opende het portier. Hij moest het, hier en nu, met eigen ogen ontdekken. Hoe vies en 'luizig' hij zich ook voelde.

Op dat moment stond Berrie in de keuken. Hij had droge kleren aan en vulde een middelgrote pan met water. Hij ging spaghetti maken.

Achter hem draaide de wasmachine op volle toeren. Hij had de jassen en natte kleren er bij thuiskomst meteen in gepropt. En toen hij er niet achter kwam hoe het apparaat werkte, was hij naar de buren gelopen. De buurvrouw reageerde heel aardig. Ze was zelfs met hem meegelopen! Ze had een kopje poeder in een laatje van het apparaat gedaan en uitgelegd hoe de knoppen werkten.

De bel ging.

Wie kon dat zijn? Niet zijn vader. Die kwam altijd achterom met de motor.

'Jonnie? Doe jij open?'

Even later rende zijn zusje de gang in. Ze opende de voordeur en Berrie hoorde een joviale mannenstem iets tegen Jonnie zeggen.

'Ha Jonnie,' glimlachte Peter Jan Punt. 'Is je mama thuis?'

'Nee,' antwoordde Jonnie. 'Mama is weg.'

'En papa?'

'Papa is er ook niet. Alleen Berrie. En Lieverdje. En Moppie. Wilt u ze zien?'

Verdorie, dacht Punt.

Hij knikte en stapte het huis in. Zijn ogen gaf hij meteen goed de kost. Het was geen troep in huis. En stinken deed het er ook niet.

Hij liep achter Jonnie aan de kamer in en bleef met het meisje voor de doos met de hondjes staan. Ze dook op haar knieën en tilde heel voorzichtig een puppy van de handdoek. 'Deze is van mij. Hij heet Lieverdje.'

Punt glimlachte en observeerde de rest van de kamer; het zag er verzorgd uit en er hingen geen geurtjes. Niet van bier, niet van sigaretten. En ook niet van honden.

'Is je mama boven?' vroeg hij.

Jonnie schudde heftig nee. 'Mama is hier niet meer. Mama is in een ander huis.'

Een ander huis? dacht Punt geschrokken. Toch niet in een bordeel? Mijn hemel, had Reini Stuit dan toch gelijk?

'En wanneer komt mama thuis?'

Het meisje legde haar puppy op een van haar schouders en aaide hem. 'Nooit meer,' zei ze luchtig.

'Ze is weg. Dat zei ik toch! Ze is boos op papa. Ze heeft een tatoeage. Ze woont nu bij Henk. Van de snackbar.'

'O,' fluisterde Punt. Hij begreep niet alles, maar dat het fout zat tussen de ouders, ja, dat was wel duidelijk.

Oei...

Peter Jan Punt verstijfde: een aanval van jeuk kwam uit het niets opzetten. Het zweet brak hem uit. Zonder dat het meisje het zag, kromde hij zijn vingers en krabde hij snel en hard achter zijn oren. Het gaf enige verlichting.

'Waar woont Henk? Hier in de buurt?'

Jonnie zweeg. Ze tilde het hondje van haar schouder en zoende het op zijn neus.

'Nou?' vroeg Punt voorzichtig. 'Of weet je het niet?'

Berrie stond in de gang. Hij had meegeluisterd en duwde nu de kamerdeur verder open. 'Henk woont in Haarlem,' zei hij meteen. 'In onze ouwe buurt.'

Meester Punt draaide zich om. Hij keek Berrie enigszins verrast aan en knikte. 'Dag Berrie. Begrijp ik het goed… Woont jullie moeder op een ander adres?'

Berrie knikte en hield verder zijn mond. Hij schaamde zich.

'Ja!' riep Jonnie ineens. 'Papa wou mama aan de hondjes voeren! En…'

'Jonnie!' onderbrak Berrie zijn zusje. Hij wierp haar een vernietigende blik toe. Niet-begrijpend staarde zijn zusje hem aan.

Plotseling begon ergens in huis metaal te rammelen en klonk er een fel borrelend gesis.

Berrie schrok.

'Wat is dat?' vroeg Jonnie angstig.

De ogen van directeur Punt werden groot en Berrie holde de kamer uit.

Het was de pan met spaghetti: het water kookte! Het deksel schommelde en dampend schuim stroomde langs de pan in de gasvlammen.

Snel draaide Berrie het gas lager.

Meester Punt stak zijn hoofd om een hoekje en gluurde nieuwsgierig de keuken in. 'Lukt het?'

Berrie knikte en wees naar de pan op het fornuis. 'Het water van de spaghetti kookt.'

Hij pakte een houten pollepel, tilde het deksel van de pan en roerde door de spaghetti. De directeur bleef staan. Berrie voelde de ogen van de meester prikken, maar erg vond hij het niet. Dat de meester hem zag

90

koken, vond hij eigenlijk wel stoer. Zeker na die vechtpartij vanmorgen op het schoolplein.

'Ben jij de kok in huis?' vroeg de meester.

Berrie glimlachte.

'En de was?' De meester keek naar de wasmachine, die in de hoek van de keuken stond te centrifugeren. 'Doe jij die ook?'

Berrie knikte.

Verwonderd keek de meester hem aan. 'Weet jij hoe dat apparaat werkt?'

Berrie glunderde. 'Ja, de buurvrouw heeft het uitgelegd.'

Meester Punt glimlachte, maar niet lang: tot Berries verbazing veranderde diens vrolijke grijns ineens in een vreemde grimas. De meester greep zichzelf in de nek en wreef zich met een verstarde blik over het achterhoofd.

Wat was er aan de hand?

Had meester kramp?

Of jeuk?

Naast de meester verscheen Jonnie. Ze trok de man aan zijn jas en zei: 'Mijn jas lag in de vijver. Hij was helemaal nat. De jas van Berrie ook.'

'In de vijver?' vroeg meester Punt, zich verbeten op het hoofd krabbend. 'Wanneer?'

'Net!' zei Jonnie. 'Toen we uit school kwamen. Berrie is ze aan het wassen.'

Een paar tellen zei meester Punt niets. Hij haalde de hand uit zijn haar, bekeek vluchtig zijn vingers en vroeg langzaam: 'Is dat waar, Berrie? Lagen jullie jassen in de vijver?'

Berrie knikte. 'Ik heb ze er met een tak uit gehaald.'

'Weet je wie...' vroeg de meester zacht.

'Nee,' antwoordde Berrie. 'Ze zitten ook aan mijn fiets. De banden stonden alweer leeg.'

Hij pakte een tomaat en sneed die voorzichtig doormidden.

Meester Punt staarde naar de wasmachine, keek toen op zijn horloge en vroeg ineens haastig: 'Hoe laat komt jullie vader thuis?'

'Meestal tegen zessen,' antwoordde Berrie.

Weer tuurde Punt op zijn horloge.

Halfzes? Moest hij nog een halfuur wachten?

Allemachtig, zolang hield hij het niet uit. Die jeuk! Om stapel van te worden! Zijn handen balden zich.

Hij kon zich niet weer krabben, dat viel op. En trouwens, het hielp niet. Hij moest wat anders doen! De antiluislotion! De flacon zat in zijn jaszak!

'Had jullie moeder niet ook een kapsalon?' fluisterde hij wanhopig.

Berrie knikte. 'Ja. Boven.'

'Mag ik die salon eens zien?' vroeg meester Punt half smekend.

20 Peter Jan Punt raakt in paniek

Peter Jan Punt had het niet meer.

De jeuk op zijn hoofd was erger dan ooit. Alsof er honderden luizen zich bijtend en sabbelend vol dronken met zijn bloed.

'Blijf maar beneden, jongens. Ik vind het wel!'

Punt stormde de trap op, rende naar de verste deur en trok hem open. Vlug knipte hij het licht aan.

Was dit het? Een leeg kamertje met een wastafel, een spiegel en twee stoelen?

Was dit de salon van Jessica? Ontving zij hier ook 'heren'? Een bed stond er in ieder geval niet.

Snel sloot hij de deur en trok hij de fles met de antiluislotion uit zijn jaszak.

Meteen kondigde zich een nieuwe kriebelgolf aan. Aaah!

Peter Jan Punt rilde en grilde; hij gaf een paar driftige klappen op zijn vette haren en raakte in paniek. Zo intens vies, zo intens smerig had hij zich nog nooit gevoeld. Hij, Peter Jan Punt, de altijd zo schone en oppassende directeur van basisschool De Ploeg zat onder de parasieten! Die bloedzuigende krengen, hij moest van ze af! Hier en nu!

Ten einde raad deed Peter Jan Punt iets wat hij in een vreemd huis nog nooit eerder had gedaan: hij rukte zijn jas uit, zijn trui, zijn overhemd en zelfs zijn onderhemd en stapte met ontbloot bovenlijf naar de wastafel. Hij draaide de warmwaterkraan open en bij het zien van fris water, in dat ene heldere moment, schoot hem iets te binnen…

Mijn hemel, de gordijnen! Ze moesten dicht, voordat Reini Stuit hem ontdekte. De voorzitster van de oudercommissie scheen hierachter te wonen.

Stel je voor dat ze hem zag: directeur Punt in de salon van Jessica.

Allemachtig, er hingen helemaal geen gordijnen. De mensen in de huizen hier achter konden hem, in al zijn witte naaktheid, zo zien staan.

Peter Jan Punt greep zijn jas van de stoel en hing die zo breed mogelijk voor het raam.

Toen schroefde hij de dop van de flacon, goot antiluislotion in de kom van een hand en smeerde het bestrijdingsmiddel met klodders tegelijk getergd door zijn haar.

Vooruit, gif! dacht hij radeloos.

Doe je werk.

Dood in hemelsnaam die luizen!

Als een razende verspreidde Peter Jan Punt het spul door zijn haar. Minutenlang masseerde hij zijn hoofdhuid alsof zijn leven ervan afhing. Af en toe wierp hij nerveuze blikken op zijn horloge. Dertien minuten voor zes! Vader Klaas kon ieder moment thuiskomen.

Krachtig, met zijn hoofd zo dicht mogelijk bij de kraan, begon hij het schuim uit zijn haren te spoelen.

Zijn hoofd gloeide en brandde. De jeuk was een stuk minder, maar toen het achter zijn linkeroor weer kriebelde, irriteerde hem dat zo, dat hij opnieuw de fles ter hand nam.

Voor de tweede keer wreef hij het antiluizenmiddel door zijn volle haardos.

Plotseling hoorde hij een diep grommend geronk. Hij stopte met wassen, staarde een moment in de spiegel en luisterde.

Het geronk was zwaar en nam in hevigheid toe. Het kwam van buiten, en de schrik sloeg Peter Jan Punt om het hart.

De motor?

Was vader Klaas in aantocht?

Met een hoofd vol schuimend gif sloop Peter Jan Punt naar het raam. Hij gluurde langs zijn jas de tuin in.

Mijn hemel!

Een felle gele lichtbundel!

In een orkaan van lawaai, midden in de donkere tuin vlak onder hem. Te laat! De motorrijder tuurde omhoog, rechtstreeks naar het raam waarachter Punt zich verstopt hield. Help!

Zo snel hij kon dook Peter Jan Punt op de wastafel af en hij begon als een bezetene het schuim van zijn hoofd te spoelen.

Hij sloeg het water uit zijn haren en greep vliegensvlug zijn onderhemd. Niemand mocht hem zo zien. Zo half bloot! En met ongekamde haren! O god, nee, niemand!

Links van hem piepte een deurkruk.

Peter Jan Punt voelde een steek door zijn maag gaan. De deur van het kamertje zwaaide open en daar stond de enorme vader Klaas: hijgend en dreigend, in een krakend zwartleren motorpak.

21 Wedden om een hoofdluis

Sterk blijven, Peter Jan, dacht Punt rillend. Sterk blijven, jongen! Denk aan De Ploeg! Denk aan Berrie en Jonnie!

'Wat moet dat hier?' gromde vader Klaas.

'Ik heb mijn haren even gewassen,' zei Peter Jan kordaat. Hij pakte zijn overhemd en stak een hand in het mouwgat.

'In mijn huis?'

'Ja.' Peter Jan Punt knikte. 'U weet nog wie ik ben?'

Vader Klaas knikte. 'Die schoolmeester.'

'Precies!' glimlachte Punt. Hij pakte zijn trui en stak zijn hoofd in het grootste gat. 'Ik ben op huisbezoek. Als directeur van de school waarschuw ik bepaalde gezinnen voor hoofdluis.'

'Hoezo bepaalde gezinnen?' baste vader Klaas.

'We vermoeden dat Berrie ze ook heeft,' antwoordde Punt. Hij had zichzelf min of meer onder controle en pakte zijn jas.

'Zo, denken jullie dat?' zei Klaas beledigd. 'Berrie?! Kom eens boven!'

Even later stond Berrie naast zijn vader.

'De spaghetti is klaar, pap. We kunnen eten!'

'Straks, knul,' zei Klaas goedig. De man vulde nog altijd met zijn enorme gestalte de deuropening en keek Peter Jan Punt doordringend aan.

'Ik wed met jou, schoolmeestertje, om duizend euro dat in dit huis niemand hoofdluis heeft.'

Peter Jan Punt slikte.

'Ik wed niet,' weerde hij af. 'Trouwens, ik heb Berrie niet zelf op hoofdluis gecontroleerd. Dat hebben anderen op school gedaan.'

Vader Klaas grinnikte. 'Luizen, ha! Weet je eigenlijk wel hoe ze eruitzien?'

'Zeker wel,' bevestigde Peter Jan Punt naar waarheid. Hij moest wat doen! Initiatief nemen en laten zien dat hij wel degelijk een directeur was.

Hij stapte op Berrie af en onderzocht lang en minutieus het hoofd van de jongen. Uitvoerig inspecteerde hij Jonnies hoofd en daarna, voorzichtig, dat van vader Klaas: geen van drieën had luizen. Ze waren schoon. Mijn hemel, constateerde Peter Jan Punt in stilte, de enige in dit huis die wel luis heeft, ben ik zelf.

Voor de zekerheid haalde Punt de controlelijsten van school erbij. Hij liep de namen langs van de kinderen uit groep zeven en zag de rommelige notities achter Berries naam. Er stond een dik aangezet kruisje, met een dun streepje erin. En drie uitroeptekens erachter.

'Wie heeft jou gecontroleerd in de klas?' vroeg hij Berrie.

'De moeder van Jan Diederik en de moeder van Bram.'

Merel Moerdijk en Reini Stuit?

'Meester?' vroeg Jonnie. Ze stond naast Berrie in de kapsalon en wees naar het hoofd van Punt. 'Uw haren zijn nat.'

Meester Punt knikte minnetjes.

'Ik weet waarom,' zei Berrie triomfantelijk.

Peter Jan Punt schrok.

'U heeft hoofdluis, hè? Ik zag u krabben!'

Gauw trok meester Punt een verbaasd gezicht en keek Berrie teleurgesteld aan.

'BER!' gromde vader Klaas. 'Zeg niet van die stomme dingen!'

'Nee, nee,' zei Punt snel.

Hij aarzelde en fluisterde toen: 'Berrie heeft het goed gezien.'

'Wat?' zei de vader.

Vermoeid keek Punt de man aan en hij knikte. Ontkennen had geen zin. Hij voelde zich uitgeput en sjokte naar een stoel. Langzaam ging hij zitten.

'Ja,' bekende hij met een zucht. 'Neem me niet kwalijk, maar de jeuk werd beneden zo erg: ik moest even van uw kapsalon gebruikmaken voor een antiluisbehandeling.'

'Kapsalon?!' zei Vader Klaas boosaardig. 'Niks kapsalon. Die bestaat niet meer! Basta! Over en sluiten, net als mijn vrouw! Laat ze een ander maar beduvelen!'

Peter Jan Punt stond op.

Hij wilde naar huis.

Hij zei dat hij blij was dat Berrie en Jonnie geen hoofdluis hadden.

Hij pakte zijn tas, deed de lijsten erin en wilde het kamertje verlaten. 'Stop,' beval vader Klaas. Met een machtige hand hield hij de directeur staande. 'Hier blijven.'

Punt mocht het kamertje niet uit. Vader Klaas zei dat hij in een slachterij werkte en alles wist van hygiëne. 'In je kleren zitten vast nog levende luizen, meester. Die ellende moet ik niet in mijn huis.' Hij liet Jonnie twee lege vuilniszakken halen en eiste dat Punt al zijn kleren erin deed, tot zijn sokken aan toe! Berrie stuurde hij naar de klerenkast in de slaapkamer. De schoolmeester moest zolang maar schone kleren van Klaas lenen.

Peter Jan Punt protesteerde hevig, maar hij wist dat het geen zin had. Tegen vader Klaas kon hij niet op. In dit huis was Klaas de baas; als een uitsmijter bewaakte de man de deur. Punt kon geen kant op. De man liet zelfs een stofzuiger aanrukken en een emmer sop. Hij verbood Berrie en Jonnie het kamertje in te gaan en liet ze de spullen om een hoekje naast de deur in het kamertje neerzetten. Toen sloot Klaas in zijn krakende motorpak de deur. Hij zei dat Punt maar een brul moest geven als hij klaar was met omkleden en schoonmaken.

22 Eieren, een dreigbrief en... brand!

'Hallo?'

Na twintig minuten bonkte Punt op de deur van het kamertje. Hij had flink doorgewerkt en gaf met een bozig brulletje te kennen dat hij klaar was. 'Hallo?'

Het was inmiddels zeven uur in de avond. Buiten was het pikdonker. Punt gaapte.

Hij wilde zo gauw mogelijk naar huis. Hij was doodop; hij had honger en verlangde naar zijn bed.

Op de trap klonk geluid en even later opende iemand de deur.

Het was Berrie. De jongen keek hem bedeesd aan en vroeg of de meester nu heel kwaad op zijn vader was.

Boos voelde Punt zich zeker, en diep vernederd ook, maar hij schudde zijn hoofd en zei Berrie dat hij de reactie van zijn vader wel begreep.

Het gezicht van de jongen klaarde op. 'Ik heb een bord spaghetti voor u.'

Punt aarzelde. Het liefst reed hij onmiddellijk naar huis, maar hij kon Berrie niet teleurstellen en dus knikte hij.

Hij volgde de jongen de trap af, zette de zakken met vuil goed op de mat bij de voordeur en stapte aarzelend in de kleren van Klaas de kamer in.

In de kamer heerste een vredige rust. Jonnie en vader Klaas zaten met hun tweetjes in het licht van een schemerlamp op de bank. De man bladerde in een motorblad en Jonnie kamde een van de hondjes. Het meisje keek verbaasd op. 'Kijk lievie,' fluisterde ze, 'daar is meester. In de kleren van papa!'

Peter Jan Punt glimlachte en wierp een blik op de eettafel.

Er was voor een persoon gedekt.

Het zag er keurig uit: er lag een onderlegger klaar met daarop een lepel en een vork. Er stond een schaaltje geraspte kaas met een lepeltje erin en een fles ketchup. Zelfs aan een glas water was gedacht.

Met een zacht 'tadaaa' en een bord vol dampende spaghetti in zijn handen kwam Berrie trots de kamer in. Hij droeg keukenhandschoenen en plaatste het bord midden op de onderlegger. Lachend wenste hij de meester smakelijk eten en toen liep hij de kamer uit.

'Dank je wel,' zei Punt en hij ging aan tafel.

Een beetje onwennig nam hij het bestek ter hand en begon te eten. Mmm... Het smaakte goed! Die Berrie kookte lekker.

Vreemd! dacht Punt. Hier zat hij dan: in zijn eentje aan tafel bij een gezin waarvan de ouders op school vonden dat het er asociaal aan toeging.

De bel ging.

'Ik ga wel,' hoorde hij Berrie roepen. Punt nam een slokje water en verzamelde met zijn vork een flinke bundel spaghetti.

Even later kwam Berrie met een bedrukt gezicht de kamer in lopen. Hij hield een stuk papier vast en liet het aan zijn vader zien. 'Ik zag niemand,' zei de jongen zacht, 'alleen dit...'

De ogen van vader Klaas werden groot en verstarden. Met een ruk kwam de man overeind. Hij trok het papier uit Berries handen en stapte ermee op Punt af. 'Lees dit eens, meester!'

Peter Jan Punt legde zijn vork neer en las:

OPROTTEN, LUIZENKOPPEN!

WEG UIT ONZE SCHOOL

WEG UIT ONZE STRAAT

OPROTTEN STELLETJE VIEZERIKEN

OF JE HUIS GAAT IN DE FIK!

Een dreigbrief! dacht Punt geschokt.

PATS!

Iedereen in de kamer schrok. Er knalde iets tegen het raam!

Buiten, aan de voorkant van het huis. Vader Klaas rukte de gordijnen open.

Midden op de ruit hing een hoopje witte schilfers. Het glas eromheen zat vol met gele spetters.

Pats! Weer vloog er iets tegen het glas. Het spatte uit elkaar en gleed langs de ruit langzaam naar beneden. Een ei? Wie deed dat?

'Snotverdomme,' gromde Klaas. 'Teringlijers!'

Pats! klonk het voor de derde keer.

Pats!

Splats!

Achter elkaar spatten eieren op de ruit stuk; slierten slijmerig geel struif gleden in de richting van de vensterbank.

Woedend stormde vader Klaas de kamer uit.

Berrie, Jonnie en ten slotte ook Peter Jan Punt volgden. Toen Punt de gang in kwam, trok vader Klaas juist de voordeur open.

Peter Jan Punt schrok.

Vuur?

Zag hij het goed? Ja, vlammen!

Er stond iets in de brand. Ergens in de tuin bij de voordeur!

Vader Klaas schoot naar buiten en probeerde als een wildeman het vuur uit te trappen. Het waren kranten, die brandden. Ze lagen op een stapeltje in de tuin.

Berrie riep dat zijn vader moest stoppen omdat er misschien poep onder de kranten lag. De jongen rende naar de keuken en kwam met een teil afwaswater terug. Hij smeet het sopwater naar de vlammen en het vuur doofde sissend. Vader Klaas onderzocht zijn schoenen en de pijpen van zijn broek. Hij vloekte. 'Je hebt gelijk, Ber. Stront!'

Snel marcheerde Punt naar het midden van de straat. Hij keek onderzoekend rond.

Geen mens te zien, natuurlijk.

Wie zat hier achter? Wie deed zoiets? De vaders van Pepijn en Jasper?

'Ja, jij daar!' brulde Punt in de richting van een lantaarnpaal. 'Ik heb je gezien! Kom maar te voorschijn!'

Punt wachtte; niemand verscheen. Jammer, de dader of daders trapten er niet in. Nogal gewichtig liep hij terug naar vader Klaas en de twee kinderen in het voortuintje.

Punt bukte en trok met twee vingers een stapeltje natte, half verbrande kranten van de grond. Hij kon de titels nog lezen. Het waren regionale dagbladen. Punt peuterde tussen de pagina's. Misschien vond hij *een aanwijzing*. Iets, waardoor hij te weten kon komen wie de brandstichters waren...

Naast hem begon Jonnie te gapen.

Vlug nam Punt afscheid. Hij bedankte Berrie voor de spaghetti, zei dat hij die paar kranten en de dreigbrief als bewijsmateriaal meenam en sjouwde de zakken met vuil goed naar zijn auto.

22 Crisis

Een halfuur later parkeerde Punt voor zijn huis; het enige huis in de straat waar nog geen licht brandde. Vanuit zijn auto bekeek hij zijn vertrouwde woonomgeving: alles leek normaal en rustig.

Met de twee vuilniszakken, zijn tas en het bundeltje natte kranten verliet hij de auto. Hij opende zijn huis, stapte de koude hal in en knipte het licht aan. Hij raapte de post van de deurmat en legde die ongezien op de keukentafel.

De telefoon ging.

Punt nam op, zei zijn naam, en wachtte.

'Peter Jan, met mij!'

Het was collega Jeltje; ze klonk gespannen.

'Waar was je?' riep ze. 'Het is helemaal mis op school! Enne...'

Juf Jeltje begon te stotteren. Met overslaande stem en bijna huilend zei ze dat er iets moest gebeuren omdat het anders helemaal uit de hand liep.

Mijn god, dacht Peter Jan Punt. Crisis?

'Rustig, Jeltje,' zei de directeur in hem. 'Blijf professioneel. Ik moet je ook wat zeggen.'

In een paar minuten vertelde Punt wat hem na school was overkomen. En ook wat hij zojuist allemaal bij Berrie en Jonnie thuis had meegemaakt.

'Wat erg!' fluisterde juf Jeltje. 'Wat vreselijk! Dit kan echt niet, hoor! Je moet iets doen! Jij bent de directeur...'

Punt dacht na.

'Ik bel in ieder geval vanavond nog het schoolbestuur en de GGD.'

'En verder?' vroeg juf Jeltje.

Peter Jan Punt zweeg.

Hij wist het even niet en tuurde naar het schijnsel van een lantaarn-paal.

'Wil je wat voor me doen, Jeltje?'

'Wat?'

'Wil je morgen extra op Jonnie letten? En wil je straks collega Gré bellen? En uitleggen wat er aan de hand is? En haar vragen, nee, eisen, dat ze Berrie in bescherming neemt. En wil je ook collega Jos bellen? En vragen of hij die paar vechtersbazen uit zijn klas de komende dagen heel erg in de gaten houdt? Vooral tijdens de pauzes en na schooltijd? Wil je dat voor me doen?'

Even bleef het stil aan de lijn.

'Komt goed,' antwoordde juf Jeltje plechtig. 'O, weet je, Peter Jan? We zijn op school bestolen. Iemand heeft de fles antiluislotion en de netenkam gepikt.'

Peter Jan Punt schrok.

'Nee hoor,' zei hij zacht. 'Die zijn niet gestolen. Ik heb ze!'

'Jij?'

'Ja, ik had die spullen even mee naar "het gezin",' verzon Punt, 'maar niemand heeft daar luis, dus het was niet nodig.'

'Kanonnen zeg,' mopperde juf Jeltje, 'wil je in het vervolg zeggen als je iets meeneemt? Ik was laaiend!'

'Sorry,' zei Punt, 'het zijn moeilijke dagen voor De Ploeg. Ik ben blij met je steun, Jeltje. Beloof je dat je achter me blijft staan? Ook als er nog meer gekke dingen gebeuren?'

Juf Jeltje lachte zuur. 'Nog meer gekke dingen? Alsjeblieft niet, Peter Jan. Doe me een lol.'

Het werd halftwaalf die avond.

Eindelijk legde Punt de telefoon neer.

Het schoolbestuur wist er nu van en ook de GGD was inmiddels op de hoogte.

Doodmoe slofte Punt naar de badkamer. Hij bekeek nauwkeurig zijn gezicht: hij zag er niet uit. Wit en grauw met onder zijn ogen paarse wallen. Hij leek wel een man van tachtig! Zijn haren oogden dof en plat; van zijn trotse haardos was weinig over. En verdraaid nog aan toe, voelde hij weer licht gekriebel? Waren die drommelse luizen dan nog niet dood?'

Verbeten pakte hij de netenkam, hij boog zich over de wastafel en begon te kammen.

Meteen viel er iets onder zijn neus in de wasbak: een piepklein roodachtig dingetje. Een luis? Volgezogen met zijn bloed? Allemachtig, ja, het bewóóg...

Hoe kon dat? Hij had die lotion toch gebruikt! Wat moest hij nog meer doen?

Van schrik sloeg zijn hart een slag over en een kloppende pijn schoot door zijn hoofd.

De altijd zo diervriendelijke en propere Peter Jan Punt raakte buiten zichzelf.

'Zo, kreng...' siste hij woedend, 'was je daar?'

Grommend zette hij het topje van zijn vinger op het minuscule parasietje en perste zo hard hij kon.

'Ga dood, ga dood.'

Grote genade! dacht hij rillend. Hoeveel luizen hadden die lotion overleefd? Hoeveel neten zaten er nog in zijn haar? En in zijn huis? En in zijn auto? Grote goedheid! Zou hij ooit nog van ze af komen?

Van ellende en machteloosheid sloeg hij zich op zijn hoofd, krabbend en wrijvend; meppend en duwend: vieze luizenzooi...

Hij kreeg zin om een schaar te pakken en die hele ellendige luizenfamilie met haar al van zijn hoofd te knippen. Waren zij niet de oorzaak van alle problemen?

Punt keek abrupt op en tuurde in de spiegel. *Een piepklein ideetje kroop zijn brein in.*

Hij moest iets doen! Hij, Peter Jan Punt! Directeur van De Ploeg!

23 Waar is de directeur?

De volgende ochtend kwamen Berrie en Jonnie laat op school.

Op het plein was het drukker dan ooit: overal stonden groepjes ouders te praten.

Wat was er aan de hand? Sommigen krabden zich op het hoofd; anderen bewogen een hand tussen hun kraag.

Berrie draaide zijn fiets op slot en stak het sleuteltje diep weg in zijn broekzak. Hij inspecteerde de banden: ze waren keihard. Hij had ze vanmorgen nog eens extra opgepompt en ter afschrikking *mosterd* op de dopjes van de nieuwe ventielen gesmeerd.

Iemand trok aan zijn jas.

Het was Jonnie.

'Wat is er?'

'Ik ben bang,' fluisterde ze.

'Báng?'

Jonnie knikte. 'Mijn jas…'

Berrie begreep het en dacht na. 'Hang 'm maar over je stoel in de klas. Doe ik ook.'

Hij gaf zijn zusje een hand en samen stapten ze het plein op.

Hier en daar keken ouders om. Ze stootten elkaar aan en staarden het tweetal met veelbetekenende blik aan.

'Berrie…' vroeg Jonnie zacht.

'Ja?'

'Waarom kijken ze zo naar ons?'

'Weet ik niet,' fluisterde hij. 'Gewoon doorlopen.'

Hij manoeuvreerde zich met Jonnie door de menigte in de richting van de ingang van de school. Toen ze weer kinderen en een groepje ouders passeerden, draaide een man zich om. Hij keek Berrie strak aan en bromde boosaardig: 'Zo knul, wie ga je vandaag in elkaar slaan?'

Berrie schrok. Hij voelde een steek door zijn maag gaan.

'Luizentuig!' siste een andere ouder giftig. 'Opzouten!'

Berrie slikte en liep snel door. Verderop zag hij juf Gré en meester Jos; ze stonden bij de schooldeur te praten. Daar moest hij heen.

Voorzichtig, zonder iemand te raken, zocht hij zich tussen de groepjes ouders door een weg naar de leerkrachten. Iemand stapte plotseling naar achteren en versperde hun de doorgang.

Het was een vrouw. Het bolle mens keek hem met blauw opgemaakte ogen vuil aan en snauwde hees: 'Zo, loeder, zal ik jou eens een mep verkopen?'

Dreigend boog ze zich voorover. Ze rook naar sigaret en drukte haar vinger op Berries sleutelbeen. Het handje van Jonnie kneep in de zijne en Berrie keek opzij. Jeetje, pal achter hen schoven twee mannen aan. Ze hielden elk een sigaret vast en bliezen de rook grijnzend in zijn gezicht. De ouders sloten hen in! Ze konden geen kant op.

'Pas op, mensen,' waarschuwde de bolle vrouw. 'Luizen! Niet te dichtbij!'

Berrie slikte.

De meester en de juf... Waar bleven ze? Zagen ze niet wat er gebeurde?

'Het stinkt hier,' fluisterde de man die dicht bij Jonnie stond. 'Wás jij je niet?'

De lipjes van Jonnie trilden. 'Heus wel,' zei ze zacht.

De man grijnsde. 'Waarmee dan? Met pies?'

Jonnie schudde haar hoofd. 'Niet!'

'Stil, Jonnie,' maande Berrie, 'zeg maar niets.'

Zacht duwend probeerde hij een opening tussen de ouders te forceren; net toen het lukte greep iemand zijn capuchon en trok.

Kloothommels! Kunnen jullie wel? Ik sla je helemaal verrot...

Langzaam balde Berrie zijn vrije hand tot een staalharde vuist. Die twee mannen achter hem, hij zou ze...

'Berrie en Jonnie?'

Het dikke mens voor hem keek verstoord op.

'Berrie en Jonnie?' klonk het nog een keer.

De stem was van juf Gré. Ze hield een arm omhoog en wenkte.

Meteen wurmde Berrie zich langs de bolle vrouw en trok hij Jonnie mee de vrije ruimte in. Poe!

'Goeie… morgen!' groette juf Gré hen wenkend met brede lach.

Verward liep hij op haar af.

Waarom lachte de juf? Had ze niet gezien wat er net gebeurde?

'Ik zie dat je jas weer hebt,' zei ze overdreven blij.

'Ja,' mompelde Berrie aarzelend.

'Ze waren in de vijver,' wees Jonnie. 'Daar!

Juffrouw Gré trok een treurig gezicht en schudde haar hoofd. 'Maar…' zei ze ineens vrolijk. 'Gelukkig hebben jullie ze weer, hè?'

Jonnie knikte blij. Berrie reageerde niet.

De oude meester Jos hurkte voor Jonnie, aaide over haar hoofd en keek Berrie aan.

'Ik vind het heel erg,' zei hij zacht. 'We gaan er vandaag in de klassen over praten! Want zoiets mag niet meer gebeuren.'

Achter de meester en de juf ging de schooldeur open en daar verscheen juf Jeltje.

'Dag juffie!' zei Jonnie meteen. 'Ik heb mijn jas weer!'

Juf Jeltje glimlachte. 'Fijn meisje, kom hier…!' Ze pakte Jonnie vast, tilde haar op en gaf haar op iedere wang een dikke zoen. 'Hang je jas maar over je stoel. En niet aan de kapstok.'

'Ja Berrie,' zei juf Gré, en ze streek hem even amicaal door de haren. 'Doe jij dat ook maar. Dan kunnen we 'm beter in de gaten houden.'

Berrie knikte langzaam. 'Was ik al van plan.'

Juf Jeltje tuurde naar de starende ouders op het plein. 'Goedemorgen, allemaal!' riep ze opgewekt naar de menigte.

Sommige vaders en moeders knikten en groetten vriendelijk terug, maar veruit de meeste ouders reageerden enkel met een norse blik.

Meteen richtte juf Jeltje zich tot juf Gré en meester Jos. Ze fluisterde: 'Hebben jullie Peter Jan gezien?'

'Nee,' zei meester Jos. 'Niet op het plein, in ieder geval. Hoezo?'

'Gek,' mompelde juf Jeltje peinzend. 'In zijn kamer is ook niet. Hij werkt toch vandaag?'

'Heeft-ie niet gebeld?' vroeg juf Gré.

'Nee.'

'Vreemd.'

'Hij is altijd als eerste op school.'

Even later liet juf Jeltje de kleuters binnen en zorgde ervoor dat de ouders snel afscheid namen. Ze had haast, ze wilde Peter Jan bellen.

'Ik zoek Punt,' zei iemand vinnig. 'Waar is-ie? Ik moet hem onmiddellijk spreken.'

Het was Reini Stuit.

'Je bedoelt Peter Jan?' vroeg juf Jeltje monter. 'Die is er nog niet.'

'Hoe laat komt-ie?'

'Dat weet ik niet. Dag Reini.'

Juf Jeltje gaf een kort knikje en trok gauw de klasdeur dicht.

Ze sloeg het kringgesprek voor een keertje over en zette de kinderen meteen aan het werk. Om tien voor negen belde ze Peter Jan Punt die ochtend voor het eerst thuis op. Ze wachtte en wachtte; er werd niet opgenomen!

Een halfuur later probeerde juf Jeltje het opnieuw. Weer kreeg ze geen contact.

Wat was er aan de hand? Waarom belde hij niet zelf? Dit was niets voor Peter Jan. Zou er iets gebeurd zijn? Ziek geworden? Hij woonde alleen. Een ongeluk op weg naar school? Wie kon ze daarover bellen? Zijn familie kende ze niet.

De buren?

De telefoon ging.

Peter Jan?

Juf Jeltje kreeg hoop. Ze pakte de hoorn en zei snel: 'Basisschool De Ploeg. Met Jeltje…'

Het bleef stil op de lijn. Toen sprak een timide stem: 'Ik ben het, Jeltje.'

Het was Peter Jan!

'Peter Jan?' zei ze opgelucht. 'Eindelijk! Waar ben je?'

Even bleef het stil.

'Luister, Jeltje, ik kan vandaag niet komen.'

'Wat?' riep Jeltje geschrokken. 'Met deze toestanden? Wat is er? Ben je ziek?'

Het duurde even voordat Punt antwoordde.

Toen zei hij zacht: 'Er is iets gebeurd, Jeltje. Je moet me helpen. Ik wil een spoedvergadering met het ouderbestuur. Vanavond! Ten huize van de familie Stuit. Wil je dat regelen met Reini?'

Juf Jeltje bleef even stil.

'Ik kan het proberen,' mompelde ze verbaasd. 'Wat ben je plan?'

'Zorg dat lukt!' was het antwoord. 'Alsjeblieft! Het is heel belangrijk! Vanavond! Acht uur! Thuis bij Reini Stuit. Zorg dat je erbij bent, Jeltje!'

24 Bericht van Peter Jan Punt

Het lukte.

Die avond kwam de hele ouderraad voor spoedberaad bijeen. Voorzitster Reini Stuit had ze allemaal opgetrommeld. Klokslag acht uur zat haar huiskamer stampvol.

Ook juf Jeltje was er. Ze zat stilletjes in een hoek van de kamer en keek nerveus op haar horloge: waar bleef Peter Jan? Waarom was hij zo laat? Deze vergadering was zijn idee.

'Heeft iedereen koffie?' vroeg Reini Stuit zacht. 'Of thee?'

De leden van de ouderraad knikte. Vol verwachting staarden ze de voorzitster aan. 'Welkom,' begon Reini Stuit voorzichtig. 'Deze vergadering komt niet van mij. Directeur Punt wil ons spreken.'

'Ja,' vervolgde Merel Moerdijk op deftige toon, 'en ik wil hém spreken. Hij was de hele dag niet op school en niemand weet waar hij is! Dat is toch ráár voor een directeur.'

Het hele gezelschap keek juf Jeltje aan.

'Weet jij iets, Jeltje?' informeerde iemand.

Juf Jeltje nam een slokje thee en dacht na. Ze had geen flauw benul.

'Wacht u maar af,' zei ze ingetogen.

In de kamer viel een stilte.

Buiten in de straat klonk het gedreun van een motor. De donderende herrie kwam snel dichterbij en viel stil voor huize Stuit. Even later ging de bel.

Reini Stuit schrok.

Zal dat 'm zijn? dacht Jeltje. Ze hoopte het van harte.

'Zal ik?' vroeg Merel Moerdijk.

De voorzitster knikte dankbaar. Merel Moerdijk stond op en verliet de kamer.

De achterblijvers spitsten de oren.

'Heeft Punt...' vroeg iemand voorzichtig, 'een motor?'

Juf Jeltje haalde haar schouders op. 'Niet dat ik weet...'

Opeens zwaaide de kamerdeur open en Merel Moerdijk stapte de huiskamer in. Ze droeg een bruin rechthoekig pakket ter grootte van een dienblad en sloot de deur achter zich.

Hè? Was ze alleen? dacht Jeltje.

Nee... de deurkruk bewoog weer: Peter Jan?

Achter Merel Moerdijk stak iemand langzaam zijn hoofd om een hoekje.

Juf Jeltje zuchtte teleurgesteld.

Het was Bram.

'Goedenavond allemaal,' groette het ventje overdreven beleefd. Met een dikke grijns keek hij de kring rond. 'Wie was dat, mam?'

De voorzitster keek verstoord op. 'Weet ik niet,' zei ze korzelig. 'Naar boven, Bram! We hebben vergadering.'

De jongen bleef staan. 'Ik hoorde een motor.'

Reini Stuit werd rood.

'Ja, Bram,' zei Merel Moerdijk snel. 'Iemand bracht dit pakket. Dag lieverd, welterusten.' Ze duwde de jongen zachtjes de gang op en sloot de kamerdeur.

'Nou zeg!' riep het ventje beledigd. 'Je knijpt!'

Met een strakke blik liep Merel Moerdijk naar Reini Stuit. 'Voor jou, Reini. Voor de voorzitster van de ouderraad. SPOED staat erop. Onmiddellijk openen!'

'Van wie komt het?' vroeg de voorzitster, terwijl ze het pakket aannam en het zorgvuldig bestudeerde.

'Geen idee,' antwoordde Merel Moerdijk. 'De man op de motor zei niets.'

Voorzichtig peuterde Reini Stuit aan de sluiting van de envelop en toen scheurde ze aan de achterkant een strook plakband los. Ze opende de kartonnen klep en gluurde naar binnen.

'Pas op!' waarschuwde Merel Moerdijk angstig. 'Mensen sturen elkaar tegenwoordig de gekste dingen...'

De voorzitster haalde diep adem; ze stak behoedzaam een hand tussen het karton en trok er langzaam twee grote witte enveloppen uit.

Juf Jeltje wilde niets missen en ging staan.

In het midden van elke envelop stond een goed leesbaar zwart cijfer: een 1 op de ene en een 2 op de andere. Onder elk cijfer stonden zwarte letters.

'Belangrijk,' las Reini Stuit. 'Open eerst envelop 1.'

Ze haalde diep adem, stak een theelepeltje tussen de sluiting en scheurde envelop 1 open. Ze fronste haar wenkbrauwen, schoof haar hand langzaam naar binnen en haalde er een plat, vierkant plastic doosje uit.

Ze opende het en keek: er zat een rond schijfje in.

Een cd? Op het glimmende dingetje stonden handgeschreven letters.

'Wat staat er?' fluisterde een ouderraadslid.

'Vertrouwelijk!' las Reini Stuit. 'Alleen voor de ouderraad van basis-school De Ploeg. Dvd met spoed bekijken.'

Vertwijfeld staarde de vrouw naar het pakketje.

Een dvd?

'Toe Reini, waar wacht je op! Je hebt toch wel een dvd-speler in huis!'

De voorzitster knikte.

Ze wrong zich langs de aanwezigen naar een enorm breedbeeldtoestel en schoof het schijfje in het apparaat. Ze pakte de afstandsbediening en even later floepte de tv aan.

Juf Jeltje wachtte gespannen af.

Van wie kwam dit pakket? Van Peter Jan?

Op het beeldscherm bewoog een schim. De vage contouren van een menselijk figuur werden zichtbaar. Wie het was, kon ze nog niet zien. De persoon droeg een blauwe pet en daaronder kwam nu scherper en scherper een gezicht in beeld. Nee maar!

Daar zat hij!

Peter Jan Punt!

In een wit overhemd achter een tafel, voor een blinde grijze muur. Kanonnen! Wat deed hij daar? Waarom droeg hij die belachelijke pet?

'Dag lieve mensen van de ouderraad,' klonk zijn vermoeide stem.

'Vergeef me, dat ik vanavond niet lijfelijk bij u ben... en me op deze manier tot u richt. En in het bijzonder tot uw geweldige voorzitster, Reini Stuit, op wie het team altijd een beroep kan doen. Dank je, Reini! Al jaren ben je de school tot grote steun bij feesten, schoolreisjes en sportdagen. Jij en je trouwe helpers van de ouderraad hebben De Ploeg mede gemaakt tot wat hij nu is: een fantastische school met een prima naam in de wijde omgeving.'

Wat is hij van plan? dacht juf Jeltje koortsachtig. Waarom is hij niet gewoon hier? En wie filmt dit? Hij zelf?

Ze zag Punt pauzeren. Toen vervolgde hij: 'Zoals we allemaal weten, is onze mooie Ploeg even vastgelopen in zware grond. En laat ik het meteen maar toegeven: die hoofdluis, beste ouderraad, is míjn schuld.'

Juf Jeltje schrok.

Hoe kon hij dat nou zeggen?

'Ja, Merel Moerdijk, je had gelijk,' bekende Peter Jan Punt ruimhartig. 'Het was bij groep zeven inderdaad een rommel met de jassen. Mijn schuld: er waren te weinig kapstokhaken. En ja, Reini, toen er hoofdluis bleek te zijn, had ik natuurlijk meteen de GGD moeten inschakelen. Jullie hadden groot gelijk om zelf alle kinderen op luis te controleren.'

Weer nam Peter Jan een adempauze.

'Zo is het,' zei Merel Moerdijk zacht. Ze stak bemoedigend een duim op naar de aanwezigen en klopte voorzitster Reini Stuit op de schouder.

'Maar, Reini en Merel,' zei Peter Jan langzaam. Zijn stem werd zacht en vertrouwelijk: 'Bij de luizencontrole in groep zeven is iets fout gegaan. Een jongen zonder hoofdluis staat als drager op jullie lijst. Hij heet Berrie. Ik heb tijdens mijn huisbezoek aan het gezin een nacontrole gedaan. Wat denkt u? *Noch bij Berrie, noch bij zijn zusje of bij de vader heb ik ook maar één hoofdluis of neet kunnen vinden.* De moeder kon ik niet controleren. Zij is het huis uit en woont elders.'

Juf Jeltje gluurde naar Reini Stuit en Merel Moerdijk.

De twee moeders gaven geen krimp. Ze staarden met verhitte hoofden naar de beeldbuis.

'Vergissen is menselijk,' vervolgde Punt, 'ik weet het. Maar de jongen is nieuw op school. Hij en zijn zusje Jonnie werden zondebokken en de gevolgen zijn dramatisch.

Peter Jan Punt boog zich iets dichter naar de camera.

'Keer op keer draait iemand de banden van hun fiets leeg. Of men daagt ze uit op het plein, met als gevolg een afschuwelijke vechtpartij. Zelfs hun spullen zijn niet veilig. Van de week zochten Berrie en Jonnie na schooltijd naar hun jassen. Ze vonden ze niet en moesten in de stro-

mende regen lopend naar huis. Weet u waar ze de jassen ten slotte terug-
vonden? In de parkvijver…'

Peter Jan Punt wachtte en sloeg ontdaan zijn ogen neer.

Merel Moerdijk keek de voorzitster aan. 'Wat erg! Wist jij dat?'

'Stil…' siste Reini Stuit.

Punt ging rechtop zitten. 'Ja, beste ouderraad,' zei hij teleurgesteld, 'ik
heb het over kinderen op onze school! Helaas is dit nog niet alles: er
gebeurde nog meer. Tijdens mijn huisbezoek bij Berrie en Jonnie gooide
iemand buiten eieren tegen het voorraam. Even later lag er een dreigbrief
bij het gezin op de mat…'

Peter Jan Punt pauzeerde even.

'Ik heb 'm hier.'

Hij nam een papier van tafel en hield het voor de camera.

Zwijgend las het gezelschap de tekst. De stilte die erop volgde, was om
te snijden.

'Diezelfde avond,' vervolgde Punt ernstig, 'stichtte iemand brand, pal
voor het huis van het gezin…'

Aangeslagen keek hij in de camera en zweeg.

'Moeder Maria!' riep iemand verontwaardigd. 'Wie doet zoiets?! Waar
zijn ze mee bezig!'

Punt liet het papier zakken.

'Beste leden van de ouderraad, dit zijn geen gewone plagerijtjes, dit is
een hetze. De dader of daders van de pesterijen ken ik niet, maar na het
doven van de brand in de voortuin vond ik iets.'

Punt pakte een klein rechthoekig velletje papier van tafel. Het had de
grootte van een etiket. Met gestrekte arm bewoog Punt het naar de
camera en daar hield hij het stil.

'Dit postetiket lag tussen de halfverbrande kranten. De brandstichter
heeft het over het hoofd gezien. Er staat een naam op…'

25 Tranen van schaamte

Nieuwsgierig kwam het gezelschap uit de banken en stoelen omhoog en men tuurde ingespannen naar het scherm.

Eerst was er niet meer dan een waas en wat grijze stipjes. Maar de lens bleef bewegen, het beeld werd scherper en scherper en ineens werden de grijze vlekjes op het etiket zwarte letters: AAN DE HEER/MEVROUW G.J. STUIT

Nee maar!

Een golf van verbazing ging als een wave door het gezelschap.

'Jawel,' zei Peter Jan Punt. 'U bent waarschijnlijk net zo verbaasd als ik.'

De ouderraadsleden waren sprakeloos en keken ontzet hun voorzitster aan.

'Ja, toe zeg,' fluisterde Reini Stuit verontwaardigd. 'Jullie denken toch niet dat ík die brand heb gesticht?'

Het etiket met haar naam verdween van het scherm en het hoofd van Punt werd weer zichtbaar.

'Reini,' zei Punt, 'als je me niet gelooft; het bewijs vind je in envelop 2. Ga je gang...'

Met tegenzin pakte de voorzitster de gesloten envelop. Ze rukte met haar pink het papier open en schudde de inhoud pardoes op tafel.

Het werd muisstil in de kamer.

Jeminee! Daar lag het bewijs... drie half verbrande kranten, het etiket met de naam Stuit erop en de dreigbrief. Klip en klaar, voor iedereen zichtbaar.

'Reini...' sprak Punt langzaam en zacht vanaf het beeldscherm, 'ik wil geen conclusies trekken, maar het is misschien toch verstandig als je met Bram praat. En kijk voordat je dat doet even in de koelkast. Misschien mis je een paar eieren.'

Meteen legde hij een hand op de blauwe pet en hij keek geheimzinnig om zich heen.

'Beste mensen...' Zijn stem klonk nu iel en aangedaan.

'Mij is ook iets overkomen. Ik kan even niet op school komen. U moet me helpen: organiseer zo snél mogelijk een grote algemene ouderavond in de school. Laat de GGD op die avond de ouders voorlichten over hoofdluisbestrijding. Vertel dat Berrie en Jonnie nóóit de bron zijn geweest van de besmetting en controleer uw eigen kinderen. Houd ze in de gaten en stop, alstublieft, stop zo gauw mogelijk die beschuldigingen en nare pesterijen tegen dit gezin.'

Punt zweeg; hij pakte een zwart doosje van tafel, drukte erop en hij verdween onmiddellijk uit beeld.

Met een lange snik schoot Reini Stuit overeind.

'O,' kreunde ze. 'O, wat vreselijk!'

Merel Moerdijk kwam gauw naast haar staan. Ze sloeg een arm om de schouder van de voorzitster en reikte haar een zakdoekje aan.

'O,' snikte de voorzitster. 'Bram?'

'Welnee, kind!' suste Merel Moerdijk. 'Jouw Brammetje doet zoiets niet.'

Reini Stuit begon nog luider te snikken.

'Maar zijn kleren stonken naar rook! En ik mis inderdaad eieren. O, wat gênant!'

Ze holde naar de kamerdeur. 'Sorry! Ik moet naar hem toe!'

En weg was de voorzitster, de hele ouderraad in vertwijfeling achterlatend.

Wat een avond! Wat een emotie!

Met verbijstering sloeg juf Jeltje de ontwikkelingen gade.

Minutenlang bleef het stil in de volle huiskamer van de familie Stuit, totdat boven opgewonden stemmen klonken. Een gil! Een krijs! Een klap...

'Nou ja,' probeerde Merel Moerdijk luchtig. 'Niemand is perfect. Je moet maar zo denken: het blijven kinderen, hoor!'

Ze stond op en begon de lege kopjes te verzamelen.

'Mijn eigen Jan Diederik is ook geen lieverdje. Als je wist wat die allemaal uitspookt... En wat die allemaal durft te zeggen. Ik zal niet in details treden, maar de honden lusten er geen brood van. Weet je dat hij rookt?'

'O ja?' reageerde iemand. 'De mijne ook! Ik moet mijn sigaretten zelfs verstoppen! Ze is pas twaalf!'

Nou nou, dacht juf Jeltje. Zo hoor je nog eens wat.

Spontaan begon het hele gezelschap over het wel en wee van hun kroost te praten. Het werd een gekakel van je welste.

Spoedig kwam er een fles wijn op tafel en een fles port. De glazen werden gevuld; er werd er flink op los gepimpeld.

Zo, de ouderraad wist er wel weg mee! De stemmen werden luider en luider, totdat Reini Stuit de kamer binnenstapte: haar ogen waren rood en opgezwollen.

'Een glaasje wijn, Rein?' vroeg Merel Moerdijk.

Reini Stuit knikte. Ze ging zitten en dronk het glas in één keer leeg.

Toen fluisterde ze: 'Het was Bram.'

Ze kreeg het te kwaad en haar ogen schoten vol. Vlug vulde Merel Moerdijk opnieuw haar glas; voorzitster Stuit nam een flinke slok en veegde haar waterige oogjes droog. 'Morgen biedt hij zijn excuses aan.'

'Bravo!' riep iemand.

'Er is nog iets,' zei ze.

Ze ging rechtop zitten, snoot haar neus en nam een flinke teug wijn. Ze fluisterde: 'Die hoofdluis... Ik denk dat-ie van ons komt.'

Wat? Juf Jeltje wist niet wat ze hoorde.

Merel Moerdijk wipte op; ze schudde afkeurend haar hoofd en greep nerveus naar haar ketting. 'Reini! Dat meen je niet! Alsjeblieft, doe niet zo mal!'

De voorzitster pakte de fles, schonk zich nu zelf een glas in en klokte de wijn tot op de bodem naar binnen.

'Rozemarijn was een van de eersten die last hadden van jeuk.'

De aanwezigen staarden haar niet-begrijpend aan.

'Maar Reini,' vroeg iemand verbaasd, 'als je dat vermoedde... Hoe kon je dan...?'

'Já...!' onderbrak de voorzitster met een snik. Ze sloeg haar handen beschaamd voor haar ogen.

'Ja, stil maar!' kreunde ze.

'Ik zat helemaal fout. Hartstikke fout. Die Jonnie en die Berrie. Ik heb ze er gewoon in geluisd. Het is mijn schuld! Ik weet 't! Maar... ik schaamde me zo. Hoofdluis! Mijn kinderen... Stel je voor!'

Reini Stuit kon niet verder praten. Met hikken en snikken snoerde een nieuwe huilbui haar de mond.

'Maar Reini,' verweerde Merel Moerdijk zich, 'juf Gré zei zelf dat Berrie jeuk had. Volgens haar krabde hij zich heel vaak achter zijn oor.'

'Ja Merel,' sputterde Reini, 'maar heb jij één hoofdluis bij de jongen ontdekt?'

Merel Moerdijk dacht na. 'Nee,' mompelde ze, 'maar jij zei...'

Juf Jeltje wist genoeg. Ze nam het woord.

'Beste mensen, die algemene ouderavond moet er zo snel mogelijk komen. Zullen we een avond plannen? En zal ik de GGD bellen en vragen of iemand van hen tijdens die avond een voorlichting over hoofdluis houdt?'

Iedereen knikte.

Er werden agenda's getrokken en er werd een avond geprikt. Morgen zou er een uitnodiging met de kinderen mee naar huis gaan, en Merel Moerdijk zou die maken.

26 Bram

'Is Punt er nog niet?'
  'Nee.'
  'Wat is er aan de hand?'
  'Geen idee.
  Ook de volgende dag bleef de bureaustoel van directeur Punt mysterieus leeg. De telefoon werd niet opgenomen. Vertegenwoordigers kwamen voor niets en de post bleef liggen. Veel ouders maakten zich zorgen over 'de meester'. Over hoofdluis werd nauwelijks meer gesproken; de antiluislotion, de netenkammen en de wasmachines deden hun werk. Waar was Peter Jan Punt? Dát was de vraag!
  Het gonsde op het plein van de geruchten. Sommigen spraken over een 'ernstige ziekte' vanwege 'een blauwe pet' en anderen hadden het zelfs over 'bedreiging' en 'ontvoering'.
  Reini Stuit, de altijd aanwezige voorzitster, was er ook al niet.
  'Reini is niet lekker,' wist Merel Moerdijk. 'Ze ligt in bed met zware hoofdpijn.'

Met Berrie ging het een stuk beter. Rond halfzes die dag stond hij thuis fluitend in zijn eentje in de keuken.
  Juf Gré deed zomaar aardig vandaag! En Marijn zat weer naast hem! Ze gingen samen een antiluisspel maken. Het was een wedstrijd: het leukste of mooiste spel van de klas zou een prijs winnen, had de juf gezegd.
  Berrie smolt roomboter bruin in een koekenpan en legde er met een vork grote lappen vlees in. 'Hámlappen' heetten ze, papa had ze gisteren meegenomen van de slachterij. De aardige buurvrouw had Berrie uitgelegd hoe je hamlappen moest braden.

'Er komt iemand!' riep Jonnie opeens vanuit de kamer.

De deurbel ging.

'Wie?' vroeg Berrie.

'Een meneer,' antwoordde zijn zusje.

Een meneer? dacht Berrie.

Hij schrok: toch geen klant voor Jessica?

Jonnie was al bij de voordeur en deed open. Nieuwsgierig gluurde Berrie de gang in.

Er stond inderdaad een man voor de deur. Hij had een pak aan en zag er deftig uit. De heer vroeg aan Jonnie of haar vader thuis was.

'Nee,' zei Jonnie. 'Alleen ik. En Berrie. En de hondjes. Wilt u ze zien?'

De heer knikte. Hij stapte naar binnen en veegde uitgebreid zijn voeten op de mat.

Wat moet die man? dacht Berrie peinzend.

Hé... Achter de heer stapte nog iemand hun huis in. Een jongen.

Nee maar... Bram?

Ja, het was 'm!

De lummel veegde ook braaf zijn voeten en gluurde vanachter de rug van de heer de gang in.

Berrie slikte.

Wat kwam die etter doen? Hier, in hun huis?

Het joch hield iets vast.

Een rugzak?

Berrie trok de keukendeur verder open.

'Hoi,' groette hij.

'Dag,' zei de heer netjes. 'Ben jij Berrie?'

Berrie knikte.

De heer liep op hem af, gaf hem een hand en wees naar Bram. De heer zei dat hij de vader van Bram was. En dat het lekker rook bij Berrie in huis.

'Ik braad vlees,' zei Berrie niet zonder trots.

Meneer Stuit keek Bram aan.

'Hoor je dat, Bram? Die jongen braadt vlees.'

Bram knikte schuchter.

'Je ouders zijn er niet?' vroeg meneer Stuit aan Berrie.

'Papa komt straks,' riep Jonnie. 'Mama niet. Die is...'

'Ja Jonnie, stil maar,' onderbrak Berrie haar snel. 'Heeft u mijn vader nodig?'

Meneer Stuit keek Bram aan. Hij zei dat zijn zoon iets wilde vertellen en dat het wel prettig zou zijn als de vader van Berrie erbij was. En of het nog lang ging duren voordat hij thuiskwam.

Berrie haalde zijn schouders op. 'Hij komt meestal om een uur of zes.'

Achter hem begon het te spetteren.

Vlug draaide Berrie het gas lager, hij prikte een vork in het vlees en keerde een voor de een de hamlappen om. 'Wacht u maar in de kamer,' zei hij.

Maar meneer Stuit en Bram bleven staan. Ze keken zwijgend toe hoe Berrie een zak met Parijse piepertjes in een schaal leegkieperde en daarna het deksel van een blik appelmoes losdraaide met een opener.

'Zeg Berrie,' zei meneer Stuit langzaam. 'We kwamen toch vooral voor jou. Ik hoorde iets van een brand in jullie voortuin. En over eieren tegen de ramen en een rare brief. Kennen jullie de dader?'

Berrie zei van niet.

'Nou, Bram,' zei meneer Stuit koeltjes. 'Vertel jij het maar.'

Beteuterd staarde Bram naar de vloer. Hij zuchtte.

Wat gaat er gebeuren? dacht Berrie geschrokken. Hij voelde een steekje in zijn maag, maar op de een of andere manier was het een prettig steekje.

'Het was mijn idee,' zei Bram zacht. 'Samen met Pepijn en Jasper.'

Dus toch! dacht Berrie. 'Waarom?' vroeg hij.

Bram aarzelde en trok zielig een ik-weet-het-niet-gezicht.

'Nou?' zei zijn vader scherp.

'Gewoon,' mompelde de jongen timide.

'Jullie waren nieuw op school. Iedereen vond jullie moeder… raar. En je zusje stonk. En toen kwam die hoofdluis…'

'En jij ging ventielen losdraaien?' vroeg zijn vader.

'Dat ook,' mompelde Bram.

De jongen tilde de rugzak op en klikte de sluitingen open.

Zijn vader hield hem tegen. Hij eiste dat Bram eerst precies zou vertellen wat hij nog meer had uitgespookt.

'Nou ja, gewoon, alles,' mompelde Bram met tegenzin. En toen zacht: 'Je weet wel. Dat op het plein. En de jassen bij… de brug.'

De jongen stak een hand in zijn rugzak en haalde er een enorme puntzak met gemengd snoep uit. 'Sorry…'

Meneer Stuit keek Berrie aan.

'Alles dus,' zei de man zacht. 'Weet je wat hij daarmee bedoelt?'

Berrie knikte. 'Ook die punaises op mijn stoel?'

'Wat?' zei meneer Stuit ineens luid. 'Is er nog meer?'

Bram knikte beschaamd.

'En die woorden,' vroeg Berrie, 'op onze schutting?'

'Ja, dat ook, maar ik haal ze wel weg.'

Vlug duwde hij Berrie de enorme zak snoep in zijn handen. Hij greep opnieuw in de rugzak en haalde een tweede puntzak te voorschijn. 'Voor jou, Jonnie.'

Jonnie glunderde.

Met twee handen pakte ze de snoepschat aan.

'Dank je wel,' riep ze blij. 'Kom je, Bram? Dan mag je de hondjes aaien. Roos vindt Moppie de liefste.'

Samen met Bram huppelde ze de kamer in.

Buiten klonk het geluid van een motor.

'Daar komt mijn vader,' zei Berrie.

Meneer Stuit knikte. 'Ik hoor het.' Hij keek naar de achterdeur, maar er gebeurde niets. Berrie luisterde. Het gedreun kwam uit de straat aan de voorkant. De motor klonk ook anders. Was dit zijn vader wel?

'Daar is papa,' riep Jonnie in de kamer. 'Op een gek ding!'

Een gek ding?

Berrie draaide het gas uit. Hij stoof langs meneer Stuit naar de voordeur en rende naar buiten.

Zijn vader had een andere motor! Wauw!

Een reusachtig zwart geval met voorop een plastic windscherm!

Aan de zijkant van de motor hing een open bak met een wiel eronder. In de bak zaten twee rode kuipstoeltjes en op de zittingen lagen twee kleine helmen. Een motor met zijspan! Nu konden zij ook mee!

'Vet gaaf!' Berrie liep om de motor heen en bekeek hem.

Ondertussen stapte vader Klaas in zijn stoere motorpak de stoep op. Hij praatte met meneer Stuit en Bram. Het gesprek duurde en duurde…

Eindelijk gaven meneer Stuit en Bram papa een hand. Ze zeiden

gedag, zwaaiden even naar Berrie en Jonnie en liepen de straat uit.

'Waarom heb je me niets verteld over die Bram?' vroeg Klaas zacht. 'Dan had ik je geholpen, man.'

Berrie keek naar Jonnie en toen naar zijn vader.

''k Wee nie, pap…'

Zijn vader kwam dichterbij en legde een hand op zijn schouder.

'Haal jullie jassen, Ber. We gaan een stukkie rijen!'

'Waarheen?'

Zijn vader deed zijn helm op en nam plaats op het zadel van de enorme motor.

'Naar Tonnie! Ze mag naar huis.'

27 De grote ouderavond

Het was de avond van de derde dag na Peter Jan Punts verdwijning.

Het liep tegen achten en de hal van De Ploeg zat voller dan ooit.

Juf Jeltje voelde haar hart bonzen.

Normaal zou ze blij zijn met zo veel belangstellende ouders, maar deze overweldigende opkomst benauwde haar.

Het schoolbestuur was er! En de mensen van de GGD. Maar Peter Jan Punt? Waar bleef híj in hemelsnaam? Ik kom, had hij per telefoon beloofd. Maar wanneer? En hoe? Toch niet weer op een dvd'tje?

Ze keek op de klok – nog twee minuten – en tuurde daarna gespannen naar de ingang van de school.

Wat moest ze straks zeggen, als Peter Jan er niet was en er moeilijke vragen kwamen?

Oei, de vaders van Pepijn en Jasper waren er. De fijne heren troonden naast elkaar en loerden… naar de vader van Jonnie en Berrie. Vader Klaas zat helemaal achterin naast een jonge stoere meid en praatte vrolijk met haar. Jeltje kende haar niet. Zou het ook een dochter van hem zijn?

'Kopje koffie, Jeltje?'

'En een puntje kwarktaart?'

Het waren Reini Stuit en Merel Moerdijk.

De twee dames deden ongelooflijk hun best. Ze liepen af en aan met koffie en thee en sloofden zich geweldig uit. Ze droegen hun mooiste kleren en kapsels, ze lachten allervriendelijkst en boden iedereen een punt zelfgebakken appel- of kwarktaart aan.

Het hele team was er ook. Juf Gré moest al een tijdje plassen en ze sjokte voor de derde keer naar het personeelstoilet achter in de hal. Het kleinste kamertje was alweer bezet. Ze bonkte zachtjes op de deur en vroeg: 'Wie zit erop? Ik moet!'

Er kwam geen antwoord.

Zuchtend liep de juf ten slotte naar een andere wc.

'Toe mensen, beginnen!' fluisterde even later een stem op het personeels-toilet in de grote hal van De Ploeg. 'Het is acht uur!' De persoon stond op van de wc-pot, tuurde ongeduldig in de spiegel en streek met een natte vinger over een onwillig wenkbrauwhaartje. Daarna spoot hij een wolkje pepermuntspray in zijn keel en wachtte achter de gesloten deur nerveus af. Al een uur hield hij de kleine ruimte stilletjes bezet.

'Toe Jeltje, begin maar!'

Om vijf over acht stond de kleine juf met de lange blonde haren op. Ze heette iedereen welkom en zei blij te zijn met de geweldige opkomst. Ze hoopte dat het een goede avond zou worden. En dat ze samen die verve-lende hoofdluis er snel onder zouden krijgen. 'Bij mijzelf is dat in ieder geval al gelukt!'

Ergens tussen de ouders ging een hand omhoog.

'Ja?' zei juf Jeltje.

De opgestoken hand was van Anja Hoogstra, de moeder van Keesje en Tara.

'Ik ben het met u eens hoor, van die hoofdluis. Maar kunt u alsjeblieft éérst zeggen waar meester Punt is? Keesje en Tara komen met de raarste verhalen thuis. Ze slapen er niet van!'

Veel ouders knikten instemmend en begonnen zorgelijk met elkaar te fluisteren.

O god, dacht Jeltje. Daar had je het al!

'Alstublieft?' vroeg een vader. 'Vertelt u eens: klopt het dat onze mees-ter Punt ergens wordt... vastgehouden? En is er al contact met de poli-tie...?'

Juf Jeltje aarzelde. 'Het lijkt me verstandig...' zei ze.

'Daar!' onderbrak iemand met luide stem.

'Hij daar!' riep een ander. Het waren de vaders van Pepijn en Jasper. Het tweetal ging staan en wees met uitgestrekte armen naar vader Klaas. 'Daar zit de oorzaak!' riepen ze. 'Bij hem en zijn kinderen is de ellende begonnen!'

Even bleef het stil. Een, twee seconden gebeurde er niets.

Toen vloog vader Klaas met zijn enorme postuur grommend overeind; zijn ogen schoten vuur, hij wilde naar voren komen, maar de jonge vrouw naast hem legde snel een hand op zijn arm. Ze zei iets en warempel... langzaam, heel langzaam zakte vader Klaas terug op zijn stoel.

Poe, dacht juf Jeltje opgelucht.

'Heren?' vroeg ze. 'Gaat u ook zitten?'

De vaders van Pepijn en Jasper bleven echter koppig staan. 'Zie je wel?' smaalde een van hen naar vader Klaas. 'Daar heb je geen antwoord op, hè?'

'Ja,' viel de ander honend bij, 'wie zwijgt, stemt toe!'

De lichtblauwe ogen van vader Klaas werden opnieuw groot en rolden furieus in hun kassen; grommend vloog hij weer op van zijn stoel. De jonge vrouw naast hem probeerde hem wederom te kalmeren, maar ditmaal duwde hij driftig haar hand weg en wurmde hij zich in de richting van de uitdagers.

Allemachtig, dacht juf Jeltje geschrokken. Ze gaan toch niet vechten? Mijn hemel, toch niet voor de ogen van het schoolbestuur? En van de GGD?

'Hoe durft u?' riep opeens een vrouw op hoge toon. Vader Klaas hield abrupt in.

Het was Reini Stuit!

Ze ging staan, lang en fier, en keek de vaders van Pepijn en Jasper strijdlustig aan. 'Heren,' zei ze op strenge toon, 'laten we alsjeblieft ophouden met vals te beschuldigen. Dat gezin' – ze knikte naar vader Klaas – 'heeft absoluut niets met die hoofdluis van doen. Daar sta ik persoonlijk voor in!'

'Ik ook!' riep een andere vrouw. Het was de keurige Merel Moerdijk. 'Hoe vervelend ik het ook vind: die vechtpartij kwam door onze eigen kinderen.'

Verbouwereerd staarden de twee ruziezoekers de dames aan.

'Nou ja!' pruttelde de vader van Pepijn. 'Krijg nou wat! Zijn jullie helemaal bedonderd? Hij...'

Plotseling ontstond er rumoer op een andere plek in de grote hal. Ergens helemaal links op de achterste rijen wezen en gebaarden ouders in de richting van... het personeelstoilet? Het kamertje stond open en in de deuropening verscheen een man. Iemand slaakte een gil!

Wie stond daar?

Mijn hemel... het was... het was... Peter Jan Punt!

In een keurig zwart colbert met een wit overhemd en een blauwe stropdas.

Maar... wat zag zijn hoofd er vreemd uit... Zijn haren! Zijn prachtige blonde haren! Er was niets van over! Geen krul, geen plukje; nog geen haartje stond er meer op zijn hoofd. Zijn schedel was spierwit, en kaal als een biljartbal. Heremijntijd! Wat was er gebeurd?

28 Hulde!

Peter Jan Punt slikte.

Meer dan honderd stomverbaasde gezichten staarden hem wezenloos aan.

Jeminee, de ouders schrokken wel heel erg van zijn kaalgeschoren hoofd…

Moest je die verbaasde blikken zien.

Was het zo erg? Had hij niet beter zijn blauwe pet op kunnen houden? Sterk blijven, Peter Jan. Sterk blijven, jongen! Je bent directeur! Kom op, doorzetten!

In doodse stilte liep hij, hier en daar een hand schuddend, onwennig naar voren. Hij gaf de verbaasde juf Jeltje een klapzoen, begroette de mensen van het schoolbestuur en de GGD en richtte zich toen tot alle aanwezigen.

Opeens stak een van de ouders een hand op.

'Anja Hoogstra,' zei Punt.

'Wat is er gebeurd, meester?' vroeg Anja Hoogstra opgewonden. 'We maakten ons grote zorgen om u.'

Peter Jan Punt knikte en keek Reini Stuit vragend aan.

'Reini?' zei hij ineens.

De voorzitster van de ouderraad schrok zich een aap. Ze begon hevig te blozen en haar ogen schoten vol.

'Mag ik ook een kopje koffie?' zei Punt met een glimlach. 'En zo'n zelfgebakken appelpunt?'

De vuurrode Reini Stuit knikte bedeesd en sloop naar de keuken.

'Hoofdluis, beste mensen,' begon Punt gewichtig.

'De epidemie begon waarschijnlijk bij de kapstok van groep zeven. Er waren haken te kort. Nogal wat jassen zwierven over de grond. Gevolg:

de luizen kropen zo via de ene jas op de andere en naar de rest van de school. Ik zag het te laat. Twee nieuwe leerlingen op De Ploeg kregen de schuld van de luis. Dat zag ik ook te laat.'

Juf Jeltje wist niet wat ze hoorde: Peter Jan nam weer de schuld op zich. Hij deed weer of hij de veroorzaker van de crisis was! 'Gevolg' ging Punt verder, 'pesterijen, een vechtpartij en dreigementen. Kortom, heel vervelend en heel teleurstellend…'

Hij hield in en keek langdurig in de richting van de vaders van Pepijn en Jasper.

'Tot overmaat van ramp,' vervolgde Punt, 'ontdekte ik hoofdluis bij mezelf. Ik kan u zeggen, het was afschuwelijk. Ik werd gek van de jeuk en niet alleen dat, ik schaamde me rot. In een opwelling nam ik de schaar ter hand, maar toen ik daarna mijn kale kop in de spiegel zag, durfde ik me niet meer op school te vertonen. Het heeft me een paar dagen gekost voordat ik aan die kale kop gewend was. Maar goed, ik ben van de hoofdluis af en nu sta ik hier!'

Voor de tweede keer stak Anja Hoogstra haar hand op.

'Ik vind u erg dapper,' zei ze. 'Ik denk dat ik voor veel ouders spreek, als ik zeg dat ik blij ben u weer gezond en wel terug te zien.'

De zaal knikte instemmend.

Peter Jan Punt glimlachte tevreden. Waar hij op gehoopt had, gebeurde. De aandacht richtte zich niet langer op *het gezin*. De beschuldigingen tegen Berrie en Jonnie waren voorbij, en daarmee de crisis op De Ploeg.

'Dank u,' zei hij quasi-verlegen.

Op haar tenen kwam Reini Stuit naar voren. Ze gaf Peter Jan zwijgend een kopje koffie en zette een schoteltje met gebak achter hem op tafel.

'Dank je, Reini,' zei Punt ineens luid en opgewekt. 'Hulde! Jij en de ouderraad hebben deze avond voortreffelijk verzorgd. Dan wil ik nu het woord geven aan de medewerkers van de GGD. Zij weten als geen ander hoe we met ons allen die hoofdluis zo gauw mogelijk thuis en op onze Ploeg moeten uitroeien.'

Juf Jeltje begon glimlachen.

'Ja, Peter Jan,' wees ze grinnikend, 'alleen hoop ik niet dat we ons allemaal kaal moeten knippen.'

Die opmerking brak het ijs.

De ouders glimlachten en ook het team, onder aanvoering van de baardige meester Jos, schudde instemmend nee.

Peter Jan Punt lachte. 'Nee, nee,' grinnikte hij, 'maar laat ik wel dit zeggen: als de kinderen en wij over een paar weken luisvrij zijn, organiseren we een groot feest! Om de overwinning op de hoofdluis te vieren!'

'Zo is 't!' riep iemand.

Ergens vooraan tussen de ouders veerden Reini Stuit en Merel Moerdijk op van hun stoel. Staand begonnen ze te joelen en te klappen en ze deden dat zo enthousiast dat, op twee mokkende vaders na, iedereen hun bijviel.

Glunderend liet Peter Jan Punt het hartelijke applaus over zich heen komen.

29 Tonnie

Diezelfde avond stond Berrie in zijn pyjama in de oude kapsalon van zijn moeder. Jonnie sliep al.

Ze waren alleen thuis.

Berrie vond het niet erg, zolang Jonnie maar niet in bed plaste en wakker werd.

Het ging al een paar nachten goed met haar en hij hoopte dat dat zo zou blijven.

Hij keek het kamertje eens rond. Er stond een grote schoudertas en hij rook een onbekend, maar lekker vrouwenluchtje. Bij de wastafel stond een hele verzameling flesjes en potjes en aan de spiegelrand hing een rode pet.

Een grote badhanddoek deed tijdelijk dienst als gordijn en op de grond lag een matras.

Daar sliep Tonnie.

Zijn halfzus was terug!

Ze had bijna een jaar in een jeugdinrichting gezeten. Tonnie kwam hier wonen.

'Vinden jullie het ook goed?' had papa nog gevraagd.

Berrie had meteen ja gezegd. Tonnie was een stoere, leuke meid.

Jonnie wist het nog niet, zei ze. Ze ging het aan de hondjes vragen. Toen ze dat gedaan had, ging ze voor Tonnie staan. Ze zei dat de hondjes het goed vonden. Maar dat Tonnie dan niet meer mocht pikken.

'Dat is goed,' zei Tonnie, 'ik zal niet meer pikken. Zeg dat maar tegen de hondjes.'

Zijn vader was toen serieus geworden. Hij had een papier gepakt en erop geschreven dat Tonnie op drie voorwaarden hier in huis mocht komen wonen:

- als ze een baan zocht voor vijf dagen in de week;
- als ze leerde koken en de wasmachine leerde bedienen (Berrie kon haar wel helpen);
- als ze motorrijles ging nemen, zodat ze straks op twee motoren met zijn viertjes ritjes konden maken.

Tonnie had, waar iedereen bij was, glunderend haar handtekening gezet. 'Tof, pa,' had ze gezegd. 'Hartstikke tof van je!'

Toen ze daarna met zijn viertjes lopend naar de pizzeria gingen om Tonnies thuiskomst te vieren, zag Berrie Bram nog in de steeg, samen met Pepijn en Jasper. De drie jongens schrobden met borstels en een emmer water de schutting schoon.

Berrie liep naar de wastafel en draaide de kraan open. Hij had dorst.

Hij boog zijn hoofd naar de waterstraal en dronk ervan. Toen hij genoeg had, draaide hij de kraan dicht en bekeek hij zichzelf langdurig in de spiegel.

Hij had leuk haar, vond hij zelf.

Hoofdluis, een hele kopzorg!*

Wat zijn luizen en neten?
De hoofdluis is een klein, grijsgrauw tot bruin beestje van ongeveer 2 tot 3 mm. Een volwassen hoofdluis is ongeveer zo groot als een speldenknop. Hoofdluizen leven van mensenbloed. Op warme plekjes van het hoofd leggen ze eitjes, neten genaamd, die ze vastplakken aan een haar, vlak bij de hoofdhuid. Je kunt de neten vinden achter de oren, in de nek en onder de pony. Neten hebben een witgele kleur en lijken op roos. Roos zit echter los in het haar, terwijl neten in het haar vastgekleefd zitten en moeilijk los te krijgen zijn. Na ongeveer een week komt uit de neet een luis te voorschijn. Deze luis kan na ongeveer een week ook weer eitjes leggen. Zo neemt het aantal luizen op een hoofd snel toe. Je krijgt dan meestal jeuk.

Hoe kom je aan luizen?
Hoofdluis is besmettelijk; iedereen kan ermee te maken krijgen. Ook als je je haar goed verzorgt, kun je hoofdluis krijgen. Hoofdluizen zijn geen overspringers, maar overlopers. Ze lopen van het ene hoofd naar het andere. Als kinderen met elkaar spelen, komen ze vaak met hun hoofden dicht bij elkaar. De luizen kunnen dan overlopen. Maar ook via kledingstukken en knuffeldieren en door het uitlenen van kammen en borstels kan hoofdluis overgebracht worden.

* Deze informatie is afkomstig van: GGD Eemland
Postbus 733
3800 AS Amersfoort
jgz@ggdeemland.nl

Hoe kom je ervanaf?
Het zevenstappenplan bij hoofdluis

I   De behandeling van hoofdluis
Behandeling - bestrijdingsmiddelen
Hoofdluis is goed te bestrijden met een hoofdlotion, -shampoo, -crème of -spray. Deze middelen zijn verkrijgbaar bij de apotheek of drogist. Lees de gebruiksaanwijzing goed door en volg de aanwijzingen nauwkeurig op. Na de behandeling kun je de dode luizen uit het haar (laten) kammen met een stofkam. Het is erg belangrijk dat je ook de dode neten uit het haar verwijdert. Hiervoor heb je een metalen Nisska-kam nodig; deze haalt niet alleen de luizen maar ook de neten uit het haar. Beide kammen zijn verkrijgbaar bij apotheek of drogist. Je kunt de neten ook uit het haar laten knippen. Na de behandeling het haar laten drogen aan de lucht, niet föhnen. Een eenmalige behandeling is meestal voldoende. In hardnekkige gevallen is het beter de behandeling na een week te herhalen.

Behandeling - bestrijdingsmiddelen
Ook is het mogelijk gedurende 14 dagen met een Nisska-kam de luizen en neten uit het haar te kammen. Om dit te vergemakkelijken maak je het haar eerst nat met een mengsel van lauw water en azijn. Hierdoor laat de kleefstof van de neten los. Deze behandeling moet heel nauwkeurig gebeuren: er mag geen enkel stukje haar worden overgeslagen. Bij lang en krullerig haar is deze behandeling heel moeilijk. Hoewel deze methode in principe ook effectief is, blijf je gedurende deze periode besmettelijk. De behandeling met bestrijdingsmiddelen geniet daarom de voorkeur.

II   Zorg ervoor dat iedereen in het gezin die hoofdluis heeft, gelijktijdig wordt behandeld. Hiermee voorkom je dat de hoofdluis van een nog niet behandeld hoofd weer kan overlopen naar een net behandeld hoofd.

III   Meld de hoofdluis aan je leerkracht, zodat voorkomen kan worden dat anderen er ook in geluisd worden.

IV   Waarschuw ook (de ouders van) vriendjes en vriendinnetjes en anderen met wie je omgaat. Denk ook aan eventuele logés en logeeradressen.

V   Omdat de luizen ook in kleding, beddengoed en meubels zitten, dienen je ouders de volgende schoonmaakadviezen op te volgen:

• Kleding, jassen, mutsen, sjaals en beddengoed: wassen op minimaal 60° C of stomen.

• Spullen die niet gewassen kunnen worden, zoals knuffels, haarversierselen en kussens: gedurende een week in een afgesloten plastic zak bewaren.

• Meubels, matrassen, auto, vloerkleden enz.: grondig stofzuigen en hierna de stofzuigerzak weggooien.

VI   Zorg ervoor dat ieder gezinslid een eigen kam heeft (net als een eigen tandenborstel). Maak borstels en kammen regelmatig schoon met heet water.

VII Blijf minimaal eenmaal per week het haar van alle gezinsleden, inclusief de ouders, met behulp van de stofkam onderzoeken op het vóórkomen van luizen en neten. Kijk vooral op de warme plekken op het hoofd: onder de pony, achter de oren en in de nek.

Kun je besmetting met hoofdluis voorkómen?

Eigenlijk kun je niet voorkomen dat hoofdluizen van het ene hoofd overlopen naar het andere. Je kunt alleen zorgen dat de luizen niet blijven zitten en zich dan in snel tempo vermeerderen. De beste manier om dit te voorkomen is wekelijks kammen met de stofkam. Doe dit dagelijks als op school hoofdluis voorkomt. Het is af te raden om je haar preventief te behandelen met een bestrijdingsmiddel. De hoofdhuid wordt hierdoor onnodig geïrriteerd.

Heb je nog vragen?

Voor meer informatie kunnen jij en je ouders altijd contact opnemen met de jeugdverpleegkundige van de afdeling jeugdgezondheidszorg.